就是喜歡

亦舒

目錄

白襯衫

白襯衫不可少，十六歲至六十歲都需要白襯衫，配深藍色褲子外套，不知多好看。

永遠流行，又永遠不屬主流，是最平凡的別致。

許多人不肯穿白襯衫是嫌其不夠花巧，不喜多變的人正喜它單純。

性格突出有型已經足夠，服飾越端正普通越好，如有懷疑，白襯衫上陣，準錯不了。

夜貓子自然嗤之以鼻，白襯衫能上何處去，不不不，白色奧根紗襯衫配大水鑽鈕扣，比到處挖個洞的七彩晚服得體得多了。

女生衣櫃打開來，起碼要有半打以上白襯衫，男生起碼一打。

條紋點子襯衫都不及純白，男人的真絲斑斕大花襯衫殺傷力比利刃強烈，直戳到人雙眼裏去，真正可怕。

在外國，白襯衫同志較多，有八十多歲婆婆，銀髮，白襯衫熨得筆挺，配淡藍牛仔褲，不知多美觀。

越老越是要穿淺色，一位考究的太太說，象牙白至適合中年人，因與眼白牙齒同色。

完全贊同。

可愛白襯衫

可愛的白襯衫。

熨得筆挺，遮一遮手，像是要發出窸窣之聲，精神奕奕，學生們就是靠它暫時與現實分別為聖。

襯衫，條紋像睡衣，花哨難配其他服飾，圓點又怕過份俏皮，穿來穿去，還是雪白的棉麻紗最相宜，大約有一百數十種穿法，而且怎麼樣穿都大方好看，絕對不會出毛病。

曾經一度，流行在白襯衫的袋上繡上深藍英文字母，大抵是姓名縮寫，另有一種味道。最近這股風又吹回來，但是，字母已變成名牌商標，未知是否穿衣人性格漸失，要靠牌子搭夠。

最最講究穿之道的女友說，並不選白色，因為太過耀眼，還是米色較含蓄。

勿要緊勿要緊，時裝界早已發明一種不中肯的白色，像是絲綢擱了一季之後略見沉暗，又如羊毛天生帶一點點低調，不是雪雪白那種白。

這樣的白襯衫可以放心穿，不會映得眼白與牙齒色調欠佳。

挑下季衣服的時候，看到白襯衫，總會放心地選三兩件，一定會派得到用場，漸漸就不買別的顏色。配藏青與海軍藍最最好看。

可怕

十六七歲的時候，途經北角，看到一個男孩子過馬路，穿件外套，上面釘滿了各色旗標，最搶眼的是：瑪莉蘭大學，當時心中羡慕，印象歷歷如新，終久不忘。

十年以後，到歐洲，第一件事是買件式樣相仿的夾克，狠狠的釘上廿幾三十個七彩旗標，穿在身上過癮，晚了十年，那種快樂是非常青澀的，但仍還是快樂。

今日看到這夾克，當同事們説「真好看」的時候，已經沒有什麼愉快感，只是為當時的固執與切渴罕納，真是……

這樣的小事，有些人根本一輩子都沒想到過，想過也算了，怎麼會處心積慮地實現它？

可怕得很呢。

跳舞裙子

第一次看見跳舞裙子，是在表姐的衣櫥裏，簡直不相信有那麼好看的衣裳，小小的緞子上身，撒開來是網紗蓬蓬裙，似仙德瑞拉。

使人迷惑。這一類衣裳，只有一個用途：穿來跳舞。除此之外，穿上它不能吃不能喝不能彎腰。

有時候甚至不能好好的坐。

除出煙花，數它最不合經濟原則，設計越是標致奪目，越是只能穿一次。

為了漂亮，一切都是值得的。

一日陪朋友去選晚裝，一進店堂，馬上開心得叫起來，大紅、寶藍、翠綠、金、紫、銀、黑，襯着閃爍的亮片，皺摺、蝴蝶、萊茵石，統統是跳舞裙子。

完全像沒有明天，沒有天明的樣子，至要緊是這一剎那，吸一口氣，把舞衣穿上，飛出去高興一個晚上。

言情小說中時常有這一幕：舞會散時，天已魚肚白，女主角挽一挽紗裙，脱掉高鞋，夾一支香煙，懶懶坐在梯級上，打量傭人收拾狼藉之杯碟。妝已殘，身已倦，音樂早已停止，客人也已離去，噫，太沒有意思，原來除出跳舞之外，生活還有其他。

不夠舒服

已經許久不肯穿窄腰身衣裳。所有裙子，買大一個號碼，洋洋灑灑，方便多喝一杯擰檬茶，多吃一件栗子蛋糕。

後來發覺仍不夠舒服，乾脆選整件直寬身裙；果然，胃氣痛次數減低，無拘無束，心情愉快。

買牛仔褲，挑橡筋頭那種，與之坐長途飛機，無論躺、坐、立，都自由自在，不勞費心。

至此，又追求更高享受，騾仔布稍嫌粗糙，不如衞牛棉布，那種整套的運動衣，又軟又輕又暖，可以穿上一整天都不覺它存在。

精益求精，買一張斗篷，穿到熟朋友家去聊天，三言兩語之後，往沙發上一躺，斗篷用來當薄被蓋，不知多舒服，賓至如歸。

說實話，這種打扮，無論如何，比不上纖麗小腰身外套與窄腳露膝裙，以及誘惑性九公分高跟鞋。

但人各有志，既然立定心思貪圖舒適，也就得視束縛帶來的美態無睹。

於是變本加厲，四處採購懶佬鞋、大襯衫、連身裙，穿畢統統放進洗衣機裏潔淨，曬乾後又是一條好漢。

不怕哪件衣飾不美，只怕它不夠舒服。不願意做美之奴隸的人們，起來！

女服

自問是挑女裝高手，專替各地各市女眷選購最新時裝，一細一細託帶出去。

只要瞄一瞄，便知道尺寸大小款式適合哪一位，一定使受者歡喜。只要她們形容得出，便有辦法買到。試過一口氣買十條泡泡裙，顏色質地季節穿法統統不一樣，得意之餘，真想改行去做時裝買辦。

由五歲到七十五歲的女士都稱滿意，不容易吧？外行人可能以為少女最疙瘩難服侍，非也非也，她們只貪圖新鮮，來者不拒。年紀越長，越是挑剔，難看的自然不要，太好看的也不要，文中帶鮮，使她們穿上年輕三五七年，又不失輕佻的，才算稱心。

經驗積聚，漸漸練得百發百中。

輪到替自己添置新衣的時候，反而十分麻木，永遠棉質翻領白襯衫半打穿一個夏季，想都不用想。

改在別人身上用工夫：紫色露背上衣，配大花玫瑰紅底灑裙，背後一隻大蝴蝶結，黑色漁網襯裙故意露出一角……妖精似誘惑。

這是寫小說的人的職業病，專門支使一個女主角去出風頭，本人退居幕後。

女扮男裝

李香蘭這樣形容川島芳子：「她身着男式黑色長袍，留分頭，柔軟短髮輕輕梳過，雪白瓜子臉上浮着高雅的微笑。我不明白女性為什麼要着一身男裝，但確實有一種異乎尋常的、吸引人的妖艷魅力。」

一直嚮往穿男裝。

時款女服沒有理性可言，男裝益發顯得瀟灑磊落俊秀，一條西裝褲配件凱斯咪上裝，即是自由工作者不論男女最佳外出服。

中國的京戲，與日本歌舞伎，其中都有男扮女裝的演員，日本寶塚，松竹少女歌劇，及中國越劇，又興女扮男裝，因是表演藝術，觀眾全盤接受。

生活中調轉妝扮，恐怕就不是這麼回事。適宜慢慢滲透，花紋蝴蝶結縐邊漸漸減少，素色深色漸多，然後在過年時分，穿一件長袍出來，也就不那麼突兀。

此地有位女演員一早就開始穿男裝外套大衣以及平跟懶佬鞋，益發襯得一張素臉清麗別致，有人以為她順手牽羊借用夫婿的行頭，實際是她自己的衣裳。

有些人是為着異乎尋常才女扮男裝，有些人是為着舒服。

SWING

大衣樣子中，最好看一種，也許是四十年代至流行的Swing Coat。

顧名思義，這種大衣前後幅都有波浪，穿上走起路來，款擺有姿。在黑白照片中，看到母親、阿姨、大姐，全部穿過它。同時也發覺彼時熨頭髮的技巧不高，十分蓬鬆，不過，今日復古，又流行大把鬈髮矣。

這一款大衣至五十年代絕跡，取而代之的是長而直的剪裁，英姿勃勃，亦有可取之處，為求行動方便，大衣背後多數開一個高叉。

有一段時間，索性買小碼的男裝凱斯咪大衣及上裝穿，專等朗凡男裝部減價。

九十年代最開心，百花齊放，什麼式樣都有全新製作，任君選擇，連喇叭褲都捲土重來，還沒受夠？不妨再穿。

款擺式大衣更用各種不同料子製成：皮草、絲絨、塔夫綢、花呢、牛仔布……最短的不到腰部、最長的及地，最好看的是三個骨，即四分三長度，配此刻較短的裙子，剛剛好。

愛穿大衣的人少不了它。

穿得年輕

時尚雜誌某期有一篇專欄大肆醜化穿得比年紀年輕的人，語氣刻薄，指名道姓舉出最壞例子，令讀者駭笑。

這個毛病的確最易犯，因此我們常常看到十八歲出道的青春女星十年後大紅大紫名利雙收，可是仍然穿着十年前的牛仔短褲T恤背心。

總是不甘心穿適齡的衣裳。

拿我為例，仍喜穿添勃蘭的礦工靴，自知十分離譜，可是戀戀不捨，不能自已，又愛馬球牌便服，一買一大堆，打算穿到六十歲。

當然是套裝優雅得多了，一外套一裙，配同色皮鞋手袋，戴名貴首飾，可是不知怎地，看上去單調乏味，暮氣沉沉，悶死人，不適合中人之姿。

一般人都喜把他一生最光輝得意的歲月留住，故隨時可以見到九十年代有人仍作六十年代打扮，衣服鞋襪全是新的，可是氣質滯留某年某月，這是一種可意會不可言傳的感覺。

老友從來不放過我，有人這樣說：「拜託，這件外套，留給令千金吧」，立刻嗤之以鼻：「你妒忌我。」

每個人只能活一次，你管我穿什麼，難得高興，自得其樂。

一騾永逸

酷愛騾仔布，即是做牛仔褲那種斜紋粗布。

全家大小都穿這種衣料，多謝設計師，把騾仔布裝飾得多彩多姿，印花、打洞、鑲花邊、拼格子布，作為棉襖的面子，外套的裏子……絕不單調。

連棉織品都仿印成騾仔布模樣：帽子、襪子、手套、毛衣，緊身褲、泳衣都像足騾仔布，愛此道者，名正言順可做藍螞蟻。

做得最好的有維沙昔、波羅、高田賢三、當娜凱倫等名廠。

正如一本雜誌所說，一縲永逸，美國會所一間咖啡室連座椅都用縲仔布來做，妙不可言。

它的好處是經洗經熨經穿，歷久常新，筆挺，永遠不變，幾乎什麼地方都去得，因不用步步為營擔心衣服的遭遇，穿的人也連帶大方爽朗起來。

唯一遺憾是老人家不大喜歡，覺得大抵是經濟情況欠佳才穿粗布，不然，為什麼有些褲子還打補丁呢。

近年找得到粉紅色的牛仔褲與棗紅色窄身裙、維沙昔的瘋狂印花更像萬花筒，配蕾絲上衣，強烈對比，漂亮得使人訝異。

三歲到六十歲都可以穿。

針織

棉織T恤真是生活中不可欠缺之衣物，柔軟舒服，統統買大碼，穿着通屋走，到快餐店超級市場也全靠它，有一種長及膝的，剛好當睡衣。

穿慣了不願穿襯衫，布料需燙得非常仔細，角落貼邊處處要照顧到，全家一天不知要換多少件衣服，熨起來非同小可。

時髦女士出門坐長途飛機愛穿名貴針織服如米松尼，貪其不皺，下飛機時看上去一樣亮麗。

針織料子容易下墜，外套等不適合掛架子上，只合摺疊平放，所以絨線大衣日久一定變樣子。

有種鈎針織的被子，一個個圖案先做好，然後拼起來，一直想動手做一張，往往剛開了個頭，忽然編輯來召，又添多個專欄，手工即時泡湯，一包包擱雜物間。

大概也知道現代婦女越來越忙，童裝店有手織嬰兒小毛衣出售，笑曰：「吳鄧氏若添一名女兒，一定買件冒充是親手所織寄去送她。」

要身型筆挺，自然不能穿針織，就像絲棉襖永不會使人精神奕奕，墊膊西裝才是上班服。

退休人士最高興是日日均可短褲、涼鞋、T恤，任我行，且自逍遙。

說燈芯絨

喜歡燈芯絨，粗的細的一大堆，一到秋冬便穿上身。其實這是種粗獷隨和樸素的料子，最適合年輕人或學生，容易打理，髒了往洗衣機一塞，乾後不用熨便可穿。

成年女性很少眷顧燈芯絨。

它雖然叫絨，其實百分之一百是棉，因表面剪成絨茸茸模樣，故名。

印象最深是由母親親手裁縫的一件深粉紅短大衣，配同色尼龍毛領子袖邊，約十二歲吧，覺得自己是大人，不然還真不配穿那樣的顏色過年，料子是個零頭，不需花很多錢。

就自該時開始，看到燈芯絨便喜悅，沙發都要挑燈芯絨墊子。佛洛依德的門徒會得說，這是眷戀青春期的象徵。

燈芯絨還可用來緄邊，記得聖瑪利女校的冬季校服外套是藏青色的呢，但沿領子鑲一條紅色燈芯絨邊，利用燈芯絨摺痕處凸出的狗牙形，襯得異常俏麗。

這些都是燈芯絨記憶。

有一陣燈芯絨也做過鞋子，在屋裏穿。

除了它，就數牛仔布可愛，還有人字呢，還有猄皮。

羅蘭

我是拉夫羅蘭服裝的信徒。

同樣長褲襯衫T恤買了又買，永不厭倦，沒有款式是最佳款式，往往十多年前舊衣可以與本季新衣混在一起穿，並不勉強。

今年他將出產新牌子，叫羅蘭，女裝，價錢適中，線條較為女性化，長大衣、西裝、羽絨風衣……仍然絕對沒有蝴蝶結與皺摺。

喬治桑穿西裝是因為標致，我等則貪其方便，尤其是長大衣，套上可遮百醜，條件是必需輕，凱斯咪是上選。

穿小號男裝大衣與夾克已有一段日子，一見這個新牌子，知道即將可以回復舊時樣。

阿曼尼接受訪問時說：「拉夫羅蘭是全世界售出成衣最多的設計師。」可能大家都貪舒服。

他的模特兒都淡妝，一臉雀斑，站在勁風的草地或沙灘上，藍眸朝遠處憂鬱地凝望，是這種神情吸引無數用家吧，精神上希望浪跡天涯的人似得到了某種滿足。

西征要有裝備，來回乘的是七四七航機，可是下意識還有篷車隊的艱苦。

坎肩

最近流行的小搭肩，叫 épaulette，法語肩帶的意思，其實像所有時裝潮流一般，一早就有，我們叫它坎肩。

紅樓夢裏王熙鳳在家就穿着白狐皮的坎肩，不知多漂亮：一點點皮草，足夠保暖，又不臃腫，配華麗的織錦袍子，身份盡露。

小友多年前便提及在歐洲古董市場看到一件褪色金亮片坎肩，叫她着迷，那金色已經暗啞，卻似經歷無數繁華舞會後倦意畢露，更有意思。

夏季深夜亦有涼意，嬌小女性怕冷，這坎肩最有用處，通常與晚服配對，絲絨坎肩略舊，深淺不一，用緞帶結住，最最好看。

坎肩復古，美國人叫shrug，即聳肩，光照顧肩膀，不理胸背，方便之至，有些毛衣也設計成那樣，在暖氣室內不會太熱。

下一季，還會流行什麼？聽說，平跟鞋終於回歸，可是，有些死硬派非八公分不穿，覺得平跟鞋像船，醜不堪言。

看時裝是非常大的樂趣：誰會穿這個？哈哈哈。

岬

北美洲男女老幼都穿一隻叫GAP的便服，同所有暢銷貨品一般，它價廉物美，經穿耐洗，幾乎成為公校校服，年輕人喜其式樣新穎，但不過火，舒服便利，可在洗衣乾衣機內狂洗百次不變樣子，亦不褪色。

每季我家都大量選購，人同此心，該店顧客永遠像銀行般排長龍。

小女喜黑色，每次同款一打T恤一打長褲，另加毛衣風衣大衣，帽子圍巾，毋須再動腦筋，時間可努力功課。

岬的股票如往下墜零點五巴仙，華爾街即告警惕：這是北美重要消費指示之一，同麥當勞快餐與福特汽車一般，是社會必需品。

到最近，大人也穿岬牌運動衫褲，出園子做家務到超市甚至打中覺都靠它，除了做人客拜菩薩，再也不穿法國意大利時裝，入鄉隨俗嘛。

與岬同廠同宗出品，另有一隻牌子，叫香蕉共和國，一般以黑白灰三色為主，偶而襯些水果色，款式文雅，售價貴一些，深受年輕辦公室女郎歡迎。

三千五百美元的香奈兒外套，擁有一件已經相當豪華。

喜愛牛仔褲

帶孩子的人不穿牛仔褲不知穿何衣物才好。當然這也不過是藉口，真正原因是喜歡牛仔褲。

翻譯得真好，的確是美國西部牧牛人所發明的褲子，當年為着宣傳其堅固耐穿，曾動用兩匹馬來拉一條褲子，結果不爛。

最舒服的是維撒昔兩巴仙橡筋布那種，匪夷所思的大花，窄腳，穿上不知像哪名艷星，買它一兩條，可慰寂寥之心，從前李維斯也有橡筋布褲，現在已經不出了，可惜。

班納通有種燈芯絨直腳牛仔褲依照西裝褲式樣裁剪，坐圍特別寬敞，一穿之下，驚若天褲，價錢又適中，大可多買數條。

還有一隻美國牌子叫莉茲凱邦，二號與四號適合東方女士身段，也深合吾意。

一般人穿牛仔褲都喜歡緊，可是鬆當然更舒服，最少買大一個碼，T恤毛衣可以塞進褲頭則更妙，大動作，不受妨礙，那才叫做穿牛仔褲。

牛仔褲幾乎是北美洲公立學校的制服，年輕人身上全是深深淺淺藍色，配白灰或黑上衣，對他們來說，紅色是阿姨們穿的顏色。

MOM JEANS

仍喜穿牛仔褲，不過那種低腰、拉鏈只一點點長的新派牛仔褲真不舒服。

不要緊，一日，小女說：「有種媽媽牛仔褲，高腰、打褶、彈性料子，十分舒服，在某種店裏有得賣。」

果然，商場有照顧老媽需要的時裝店，一看牛仔褲褲襠足有十多吋高，頓時心寬，一試之下，舒適無比，剪裁完全照顧到小腹以及腰間脂肪，找到了，仍然瀟灑呢。

還有大碼店，專門招待十四號以上的大塊頭女性，高大健碩不一定不好看，一樣可以穿時裝。

另有孕婦服裝店，價廉物美，再也不是帳篷加蝴蝶結。

童裝時時大減價，九元九角可買到小小燈芯絨褲，大衣加五元有交易，結實耐穿，何用名牌。

這便是民生：各式各樣各階層的市民都照顧到了，因為世上不只得年薪三百萬、身穿二號或四號的成功年輕人士。

其餘人等，也得活下去，故此發明了MOM JEANS，偉哉。

牛仔褲

有一年金庸說：「衣莎貝你不要講道理，你寫寫T恤牛仔褲就好」，So, here I go again。

Blue Jean，藍，指染料靛藍，堅，指斜紋布，十八世紀法國工人常服，法國男子多數叫Jean（尚），故此這種褲子便叫尚，英語發音，成為堅。

自從百年老店李維斯推廣以來，迄今各種款式、厚薄、顏色、寬窄、繡花、打釘……已發展淋漓盡致。

今日牛仔褲廠都擁有獨家守秘折舊部門：聘請專員用手工把牛仔褲磨薄做舊甚至撕破，他們到舊礦址宿舍找到真正破褲，照着它上邊的摺痕破洞褪色之處再造。

其中一款照占士甸雨中站在紐約街頭的那條牛仔褲做，我凝視片刻，真爛得一模一樣。

啊！占士甸，早知道做人其實不必那麼辛苦可是，到處都有作假呢。

至於我自己，曾對穗姪說，阿巴桑也要穿牛仔褲，最喜歡一款窄腳彈力布縫製深色中腰Versace，穿了十多年，還珍惜得不得了。

一日穿出，小女讚說：「老媽穿牛仔褲」，是，牛仔褲，以為寫幾筆，已經一輩子。

格子西裝

這個故事是真的。

一日，MY在公司開會，忽然同手下說：「請各位男同事不要再穿格子西裝，敝機關無一人穿格子西裝會得好看。」

笑得我們肚子刺痛，真的，是誰發明格子、條紋，以及斑點的呢。

做男人穿衣其實至容易，一味深色西裝及領帶，加白色襯衫即可，要不，就牛仔褲白T恤，何必多耍花樣，工作成績、責任感、學養修養才是最佳裝飾。

格子西裝配條紋襯衫，再來一條大花領帶，真令觀眾消化不良。

今日的男式童裝也叫人詫異，像紅黑間條短褲配卡通圖案上衣之類，女孩穿尚嫌扭捏，一律藍白二色配球鞋豈非更省事悅目，居然還有小小絲絨西裝，救命。

據說大律師如果在法庭上穿淺色西裝，法官會着令他回家換套莊重點衣服，真是德政，任憑誰有五車學問，穿上華沙昔，也似皮條客。

不過，如果真是二十一歲英俊小生，大可穿粉紅色襯衫，大紅毛衣，以及白色皮夾克。

凡事總有例外。

西裝稀皺

英俊青年穿着格子西裝，叫人吃驚的是，整件外套一早用機器壓得稀皺，像是從箱底翻出就穿，而且，還有剪洞，似被蟲蛀，驟眼看，疑是故衣，可是看仔細了，確有股不經意的瀟灑，正好配褪色牛仔褲，全新裝備，設計竟如此破舊，不可思議。

他的頭髮也稀奇，條條豎起，像被大風吹到一邊，又彷彿剛睡醒，這倒好，再也不必像上一代那樣，每早花時間用風筒把翹起的頭髮壓下去。

平日上課，都穿汗衫棉褲，人字拖鞋，或是短褲背心，老伴見到，鐵青面孔：「這種小子，前腳進來打前腳，後腳進來打後腳。」

女裝也是，無論外套、大衣、裙子，都用毛邊，有時縫線索性做在衣料面上作裝飾，裙頭也不見了，用一條橡筋代替，穿着方便自在舒適。

少女大衣兩邊袖子不對稱，衣襟歪一邊，鈕扣大如手掌，奇趣，原來還是昂貴名牌。

他們走在一起，時髦如漫畫中人物，喜歡的車子也卡通化，不是偉氏牌小機車，就是SMART CAR，十分反傳統。

看不順眼的成年人宜回憶他自己十五二十時作什麼古怪時尚打扮。

穿童裝

小兒穿大人衣服十分好玩，小西裝、小旗袍，諧趣可愛，但大人穿童裝，卻相當礙眼。

老不願長大的中年男女，留戀帽兜無領T恤，揹一個背囊，短褲短裙鈴鐺掛飾，大抵伊們覺得十八廿二是全盛時代，不願放棄。

其實少年時期多數彷徨無主，自然是做成年人穩當。

方向意旨已定，牢靠自信，何必戀戀盲鈍青春。

一位時裝設計師說：粉紅色，是小女孩穿的顏色，上了年紀，穿朱紅、藏青、月白、藕色、灰紫、墨綠、棕色均好看，呵，還有永恆的漆黑。

世上只有潔淨白襯衫與卡其褲及跑鞋可以穿到八十歲，指揮家卡拉揚與大導演大衛連到了晚年，一直穿雪白襯衫，那麼畢加索才華蓋世，索性光着上身做膀爺。

男女均可穿一套簡單深色西服，皮鞋擦亮，抬起頭，正經做人，愉快地面對工作生活。

上一代婦女最自重，豎領旗袍，長髮盤髻，端莊斯文標致，把蝴蝶結皺邊留給少年。

顏色

小女喜歡黑色，全身黑白灰，害怕粉紅色，她說：也許，某次萬聖節，她會穿粉紅短裙外套，加粉紅球鞋，頭戴粉紅蝴蝶結，嚇同學一大跳。

我對顏色已沒有喜惡，藍色就很好，白色不耐髒，算了。灰紫、蛋殼青、藕色都十分曖昧含蓄，是最好看的顏色，這些，代替了黑與白之間深深淺淺的灰色。

曾經有人說，只有小孩與妓女才穿紅鞋，但是，紅鞋兒真美，八九公分細跟，配三個骨牛仔褲，不知多艷麗。

亮片也別致，一日看見嬰兒的絨線帽上釘着透明亮片，小小胖頭一動亮片便閃光，像煞小雨點，認真可愛。

肉色蕾絲與黑色網紗也最誘惑，時裝店裏有件黑紗釘珠子小坎肩，叫人愛不釋手。可是，有什麼用呢，半晌不得要領，只得放下。

你若不夠那件衣裳漂亮，就不要穿它，故此賈寶玉嘆道：「也只有她（薛寶琴）才配穿紅」，衣裳倒也罷了，男子以才為貌，切勿貪圖男子英俊樣貌，站在他身邊，叫人評頭品足，比較批評。

最近看到年輕男子穿粉紅色T恤，會心微笑，大紅也是他們的顏色，紅男綠女嘛。

走路

必須行萬里路時該穿什麼鞋子？NIKE AIR。

否則如何整日跟小孩跑遊樂場、逛水族館，以及到公園旅行。

那種高筒子球鞋不但保護腳底腳面，一併連足踝也緊緊保衛，以免扭傷，一按充氣鈕，鞋子變成一件與環境搏鬥的工具，堅固又防水，好處說不盡。

特別喜歡這個牌子，因為NIKE是希臘文勝利的意思，那一個不知包括多少涵意，全家都穿球鞋，腳踏實地，養生有道。

告訴服務員，是打籃球用，他自會介紹一雙最好的給你，雙足可能是人類最忍辱負重的部位，宜善待之。

薄底皮鞋穿來上班，冷氣間，鋪地毯，輕輕坐下站起，下班乘司機開的車子回家，穿它走路那是要吃苦的。

至於高跟鞋，應附上「政府忠告市民，穿該款鞋有礙健康」等警告字樣。

還有一位太太抱怨不夠力氣挽北美大號裝的日常用品，立刻笑着指點：「戴護腕。」

飲品

兩包紅茶，半杯牛奶，半杯開水，趁熱喝下去，眼睛就睜開來了。笑稱為流體力學。沒有這一式苦杯，怎麼開工。飲品往往比固體食物更加提神，不容忽略。

最最享受，當然是可樂上加兩球冰淇淋，不顧一切吞吃。夏天，在南國，怎麼能不飲冰。有氣的礦泉水最適宜同荔枝一道吃，味道同香檳一樣，只是不醉。

杭菊泡茶，加西洋參，灌落肚，可以趕通宵稿，不過千萬不要陷自身於這種不義，健康最要緊。

各式上等中國茶，明目兼清腸胃，龍井永遠是首選，單看白瓷杯中淡青顏色，已經心曠神怡。

木瓜牛乳經攪拌機兩分半鐘操作倒出加碎冰，是上佳午餐。天氣熱，工作擠，很難得有心情吃三菜一湯。

傍晚，做完事，輪到威士忌加冰。

秘密嗜酒者自早上九時正便在期待這一小杯，說也奇怪，只啜一口，便會鬆弛下來，對斜陽伸個懶腰，渾忘過去十多小時之瑣事。

正如郝思嘉說的，明天，是另外一天，不要緊，有各式各樣的飲品支持。

脫脂奶

脫脂牛奶又稱一巴仙奶或兩巴仙奶，指牛奶中脂肪只被抽剩百分之一或二，低熱量，但營養價值不變，實屬節食人士佳品。

怕胖怕得到了家的美國人最近勸家長予兒童飲一巴仙奶。長期飲用一巴仙奶的人，完全知道分別在那裏，與正常牛奶完全不同。

全脂奶香、滑、甜，喝一杯，即時飽飽，有滿足感，會得唔一聲，用來調咖啡、沖紅茶，妙不可言，脫脂奶平淡、寡味，根本不能滿足食慾。

青年時代，百無禁忌，至喜飲料中滲半杯奶油，另加四顆方糖，沒有益？享受就對身心有益。

胖過一陣子，知道除掉那最後三公斤的苦難好比建萬里長城，之後，就長期控制熱能吸收。

還得出來見人呢，除了少數英明神武的例外，一般來説，肥騰騰，轉個彎都困難，怎麼辦事。

故此冰淇淋、巧克力、蛋糕，統統變成奢侈品，只在特別快樂或沮喪時，作獎勵用。

冰箱裏全是有名無實的假食品，脱脂奶是其中之一。

香檳孖糕

可樂加兩球冰淇淋，叫黑牛孖糕，那麼，香檳或其他汽酒加冰淇淋就叫香檳孖糕。

嗜酒又不想明目張膽那樣喝的人可用酒加甜品作弊，像一盆新鮮覆盆子加奶油以及伏特加，拔蘭地注入鮮橙冰凍後才切開吃等。

布甸裏加冧酒，咖啡添貝利酒……份量豐儉由人，果汁加酒後結冰，暑天掏一塊含嘴內，煩躁立刻消失。

蒸蛋糕配橙香酒，甜圈餅浸過紅酒才咬下。

威士忌最好做醉轉彎，還有醉蝦。

人多聚會，可早一日將大西瓜鑽洞，注入苦艾酒，第二天大家勺着吃。

情緒緊張之際喝一口頓覺光明，滿嘴芬芳。

但是要知道，喝酒非常容易發胖，幸虧酒徒都不大吃飯。

喝酒喝到醉全無意義，第二早只有更加辛苦。喝酒是因為味道美妙，聊天是因為志趣相投，寫作是因為喜歡。

友人有套小小七彩玻璃杯，每杯一注，打賭誰一口氣喝光，那樣賭氣，又是為什麼，溫柔點加冰淇淋吧。

紅的燈，黑的酒

愛上啤酒，不覺也有十多年了。

宿舍不准喝酒，但誰人抽屜或衣櫃中不收着幾罐啤酒，享用之前，先放到窗外冷藏一會兒，喝起來，提神醒腦，可救賤命。

功課做不出來，情緒低落，稿件沒有題材，統統擱在一邊，喝了啤酒才算。

最喜歡特別釀製的嘉士伯，含酒精七巴仙，十分過癮，一杯下肚，即時鬆弛。

後來上班，遇着壓力，解決方法仍是冰凍啤酒，喝完之後，大力一抓，把罐頭捏得變形，成一團廢鐵，困擾之情稍得宣洩，明早起牀，又是一條好漢。

正是：伴我月夕共花朝，幾年來一同受煎熬。

且喜獨飲，最理想是一邊看電視新聞一邊品嘗。

習慣上一到餐館，必然叫啤酒。

獨身時，好心的女友咬牙切齒地勸道：「同他出去，千萬不要叫啤酒，記得改叫橘子水。」

黑啤更加妙，試想想：紅的燈，黑的酒，顏色對比多麼刺激美艷，襯得女角更加膚光如雪，乃係小說中不可缺少之道具。

近來不大喝它了，怕發福。

啤酒

啤酒真是沒話講，實是四季均宜之酒，辛勞了一整天，回到家，自冰箱取出酒與杯子，埋進鼻子，先嗅一嗅泡沫之芬芳，然後呷一大口，順喉而下。

可救賤命。

一品脱之後已可鬆弛精神，明天的憂慮明天當好了。

其他至醇至高至貴的酒可怡神但不可解渴。

啤酒又很難喝醉，微微醺醺然，妙不可言。

一直有喝啤酒習慣，第一次見老伴，介紹人千叮萬囑：「喝橘子水，千萬不要坐下便叫啤酒」，可是一貫揚手要了啤酒，梁山泊風光盡露。

據說喝多了會長肚子，可是這麼些日子下來，也不見功效，由此可見，這段稿子，不知吸收了多少日月精華。

在香港，啤酒一向比汽水便宜，六十年代小瓶裝啤酒售價九角，少女洗淨頭髮用啤酒過一過，看上去髮質厚一些，今天大家均喝罐裝，冰起來方便快速。

啤酒種類越來越多，選擇即自由，黃昏，慢條斯理，逐隻牌子品嘗。終於找到最好的。

如果可能，十分願意以克魯格香檳代替啤酒，那又是另外一種享受。

為什麼喝

不喝酒的朋友一直問：「為什麼要喝？」

為什麼？且聽我細訴，在不能抱怨，毋須解釋的今日，一切煩惱貴客自理，見面且要笑呵呵，良朋知己，便是一壺好酒。

喝一口，佳釀在口腔打個轉，香氣撲鼻，絲絨般滑下喉嚨，先進腦袋，嗡一聲鬆弛下來，繼而到達四肢百骸，軟綿綿，胸中一口烏氣緩緩逼出，吁，不由得微笑，同身邊友人說：「今天真高興」，世界完全不一樣。

再也沒有解決不了的事情、看不入眼的人、捱不過的日子。

有誰看不開，便惋惜地想：那統共是他不嗜飲的緣故、所以人事特別複雜、世界特別醜陋、運程欠佳、徒勞無功。

並非劉伶，適可而止，室內卻常備杯莫停及皇室敬禮各一支，最最累的時候，斟一點，骨嘟嘟嚥下，挺起胸膛，出門講數。

本市銷酒量全球第一，可見人同此心，好像沒有什麼選擇，來，喝一杯。

為什麼不。

人類恩物

啤酒是人類恩物，含酒精量低，故此可以大杯大杯喝，它是唯一解渴的酒，冰得極凍，連泡泡一起喝，妙不可言，幾隻德國啤酒味道尤其清冽。

喝酒的文化在適可而止，就那麼多。

在學堂裏讀酒店食物管理，什麼地方什麼年份出什麼葡萄釀些什麼紅酒白酒背得滾瓜爛熟，參考書一大堆，真要寫起酒經，相信也不會比副刊上一般食家為差，可是始終認為酒同藝術一樣，為的是使人高興，愛裝模作樣者不宜。

白酒比較喜歡水果味充沛但不太甜的像普意費賽或香白丹，餐酒的缺點是非精選不可，有些入口似醋，紅酒更難找，傳統波多或許，一級香檳味道當然最好，一個人就可以盡一瓶。

老匡喜拔蘭地多過威士忌，因為葡萄好吃過大麥云，不過疲勞時一杯威士忌加冰，千金不易。

說起來好似什麼酒都不介意，這是真的，也絕不講究配菜排頭，最喜黑啤送牛肉三文治，加大量芥辣，口味像礦工。

三十歲後一切嗜好轉得十分卑微，啤酒一道，其樂無比。

戒酒

美國有一隻新藥，是戒酒丸，服用之後，酒徒自動覺得酒味可憎，立即戒酒。

酒是苦悶人生中怡情之物，小喝不妨，偶而醉一兩次亦無礙，何必曰戒。

只要不影響工作與家人，嗜酒純屬私人享受，同聽音樂搓麻將一樣，處理恰當，秘密地喝，有何不妥。

一直喜在黃昏喝威士忌加冰，已成習慣，一到下午，已嚮往一杯在手。

宏願是克魯格香檳當水喝，經過酒舖，往往饞得情不自禁，幸虧還不喝各式餐酒及混合酒，否則真得如小老蔡那般，吟一句稿費拿來換酒錢。

白天喝啤酒，打開鋁罐，放一枝吸管，似喝汽水，賣相較為斯文，解渴生津，又鬆弛神經，絕對不戒。

所有陋習統統剔除，人生無意義，有時生活上遇挫折及不如意事，往往說一句：「怪不得某同某下午三時就開始喝將起來。」

享受喝酒與靠酒維生兩者境界自然大不相同，好比寫兩段稿解解悶與靠稿費支付房租一樣，豈可作任何比較。

酒徒不是戒不掉，而是不肯戒。

食為天

以前，與老友如小老蔡、李老怡等見面說的題目，清秀高貴，什麼伊力亞卡山的電影多麼動人，魯迅的小說震盪人心，寫作的正確態度應該如此這般……沒完沒了，一頓飯時間還真嫌不夠。

現在，一坐下，言不及義，當着報館社長面前，置文人形象不顧，開口就說吃的：「海龍皇湯最棒，在家做保證新鮮，蛤蜊先燙一燙，去掉泥沙……」「不不，不要用蛤蜊，有種西施蚌，巴掌大，蚌肉鮮甜嫩滑。」「是嗎，真要試試。」

老友文采是否驚人是他私事，社會必定報答他，但他家做的清焓鹽水花生，其味無窮，才叫人念念不忘，所以才同他做朋友。

所認識的才子，統統都愛吃人間煙火，琴棋書畫之後就出發到街市選購美食，親手下廚，大快朵頤。

不會吃的人，有什麼情趣？

周末下午，做塊胖嘟嘟烤芝士吐司，吃下去，慰勞皮囊，誠至高享受。

也曾探聽：「新加坡的肉骨茶，怎麼做法？」

可見野心越來越大。

下次，同他們研究，什麼酒做料酒最好。

常餐

愛煞茶餐廳。

中學時，天天擠在那裏邊吃午飯，港幣一塊兩毛，便可吃一個常餐。還有菜單可看：好幾道菜式，包括牛油麵包、羅宋菜湯、粟米雞粒飯。

鬧哄哄的，一張桌子上擠四五個人，刀叉放滿一桌子，每吃一道菜，必定加許多調味品，胡椒絕對少不了，哦還有番茄醬，統統香甜地吃得光光，再步行回學校去繼續上課。

一塊兩毛！

以後再也沒有吃過那麼美味的西餐（？）以後，無論吃什麼，總是心有餘而力不足，珍饈百味，食而不知其味，有些坐在胃中似一塊石頭，有些，打背脊骨直落，有時，聽到嗟的一聲，連忙搖頭搖手，退避三舍。

一直懷念那簡單粗糙的常餐，菜單方面，有更豪華的特餐，售價一元八角，另加甜品，但同學們全體知足常樂，從來不去癡心妄想，天天照舊享用常餐。

這樣子過六年整，到後期，吃常餐的費用，已經是自己賺來的稿費。年來物價飛漲，常餐也非十多廿元不辦了，茶餐廳，也被快餐店取替。

現在知道了，原來，彼時雖然一無所有，但，也不是不快樂的。

茶餐廳

可愛的茶餐廳真是本市特色。

東主多數是粵籍人士，所以賣的是西冷紅茶、檀島咖啡、新鮮蛋撻、紅豆刨冰。

經過修正的西式小食，有着強烈的廣東口味，自幼在本港長大的人，曾經一度，總或試過留戀茶餐廳。

這個地方，自有它的風情，店主叫它冰室，空氣調節不太普遍的時候，用吊扇，一早就與卡薩布蘭卡之見略相同。

裝上冷氣初期，還作興在玻璃門上貼個圖案，一座雪山，藍白分明，以資識別，不過食物的價格也相應提高。

叫一客簡單的食物，可以坐着良久，與小同學研究功課，討論戲文，它一定是快餐店的始祖。

在家也仿製冰室的紅茶，把茶葉放在茶壺裏，擱爐子上滾兩滾，香聞十里，狠狠的喝一大杯，提神醒腦，雙眼立睜，隨時可以攤開稿紙寫將起來。

到今日仍是茶餐廳常客，吃罷取過賬單自行往櫃面付款，乾脆磊落，蠲免小費。有時散步當兒就溜進去小坐，有選擇就是有自由，有自由就有快樂。

正是廣記我所欲也，麗晶亦我所欲也。

吃茶地

最最最最開頭的時候，吃茶的地方是廣記冰室，小同學約齊了，在吊扇底下玻璃圓枱坐下，叫杯菠蘿刨冰，味道鮮美，沒齒難忘。

中學畢業，預科生已曉得往安樂園、紅寶石，長大就是長大了，熱狗奶昔，當年流行組合。

忽然有了稿費收入，乖乖不得了，三級跳大躍進，跑到山頂舊咖啡室去，真正好情調，文藝青年愛煞，流連忘返，另一選擇是淺水灣茶座，血紅的影樹，耀眼的白沙。

開始工作，還有什麼地方比半島更方便，富麗堂皇，一流服務，大夥都樂意在彼處約會。

還有曾經通宵經營的希爾頓咖啡店，入夜的中環另有一番蕭瑟韻味，別區找不到。

尖沙嘴東部發展成型之後，麗晶成為茶客新歡，已經是八十年代了，隨着時代進步，大都會少卻許多許多悠閒氣息，海畔長窗外是不夜天。

記憶所及，不知有多久沒邀請友人上門，或是到友人家去拜訪，約會，都在茶室。

這是港人獨特生活方式之一，有什麼事在外頭擺平，天大的麻煩斷不往家裏帶。家是休息的地方，從大門開始是私人安樂窩。

感情

大家都不約而同喜歡文華，沒有道理，純感情作祟。

我也是常客呀，早餐由十五元一客吃到兩百元，仍然貞忠不貳，不過是一壺茶，一客煙肉蛋，但是羊角麵包還算熱辣鬆脆。

下午茶也並非特別精彩，一般而已，最好吃的是玫瑰花瓣果醬，空口就吃光光，好像是獨家。

咖啡廳幾款西菜像炸龍脷真的勉强，標價且貴，漸漸在繁忙時間還得排隊等，犯不着。

可是仍然身不由主地往文華跑，因為十七歲已開始在那裏出入，賓至如歸，儘管來回洗手間一趟需二十分鐘，已成習慣，亦不介意。

沒有人會問《北非諜影》一片裏的歷克咖啡店供應食物是否夠水準吧，文華是一個地誌，大家約會異性朋友、談稿酬、見老友……統統在那裏。

留下一擔擔足印，不小心遺下手套圍巾書本，過幾天回頭再找，仍獲歸還，太多回憶。

礦泉水收費是否合理已不重要，逛完置地，必定到文華落腳，要不就到弁慶吃碗麵。

太太們喜歡半島，我們因多在中環辦事，則選文華，曾在該處度過無數歡樂時光。

雞尾包

雞尾是直接自英語翻譯過來的名詞，指混合，雜七雜八，在本市應用甚廣。

雞尾酒、雞尾酒會、雞尾開胃品、雞尾禮服、雞尾酒吧、雞尾酒時間……

一聽就知道指的是什麼。

但是，最最可愛的，卻是茶餐廳附設的麵包店所製造的雞尾包。

全世界獨一無二，下午三時正出爐時香得人魂飛魄散，一口氣可以盡四五隻，且急得連墊着麵包底的招紙都一塊兒吞下肚去的雞尾包！

味道絕對勝過任何大酒店裏嬌貴的各式蛋糕。

同少年人再有代溝，格格不入，説起雞尾包，也頓時回復青春，陶醉之情，一式無二。

其實是一種很粗糙的食物，售價廉宜，長條形麵包內有一團糖霜，但就是好吃。

在各式甜麵包中，最欣賞是它。

童年時南下，即刻被各式麵包吸引，種類繁多，撒上椰絲，夾着奶油，混着葡萄乾，製成菠蘿、車輪、辮子模樣。

一直光顧至今。

享受

烘麵包與紅茶，在本市，被稱為奶茶與多士，是下午小食最佳拍檔。

最好吃的多士奶茶，要到街角茶餐廳去找，千萬不要誤會大酒店咖啡室懂得做上述兩味食品。

小店人擠地窄，貨如輪轉，奶茶捧出來，呈金紅色、濃、滑、香、提神醒胃，喝下去，馬上可以多寫三千字。

那麵包，鬆、厚、脆，牛油慷慨地正在融化中，貪婪地塞進嘴咬一口，那香味直傳丹田，吃完一客，伙計，再來一個。

幾塊錢交易，換來如此享受，文藝青年們的論調可能正確：快樂與金錢權勢有什麼關係呢。

還有最要命的法式蛋漿煎麵包，簡稱西多，配以無窮無盡的蜜糖醬，一邊吃一邊會喃喃自語：幸運人生，幸運人生，何德何能，得此享受。

親友中不乏品味高昂者，所以努力工作不已，換取享受。

如果你最喜歡的也只是看電視，睡懶覺，茶餐廳，恭喜恭喜。

糖

生活若少了它，就大大失色。

無分貴賤，有一種大白兔牛奶糖，香、甜、滑，十塊錢一大包，開會前偷偷食一顆，再沉悶也因此可以撐下去。

還沒有吃過不好吃的糖，女性喜歡甜頭，有時失去自制，吃得喉嚨沙啞，實在不能再吃了，照樣捧着盒子不放，自欺欺人：明天一定戒掉它。

巧克力是糖中之王，實實在在是諸神的美食，夾着果仁葡萄乾，水

果香或酒心，入口即溶，滋味之美，沁人心脾，鍾愛多年，終於忍不住，寫了部小說，獻給巧克力。

棉花糖也不容忽視，適宜在看西部片或恐怖電影時大把大把抓來吃。水果糖比較文靜，非經常吃，哄孩子最好，一顆吃兩個鐘頭。

果凍軟糖捏一捏才放進嘴裏，那微微震盪的觸覺亦是享受的一部份。

原始的條狀黃蔗糖也可以掀碎來生吃，絕不令人失望。小罐煉奶，果醬，也是嗜甜者恩物，不喜歡糖的人聽到這種野蠻的吃法，大概會皺眉搖頭。

對了，還有番薯糖水。糖可以迅速提供熱能，咖啡內加四顆方糖，下午又精神奕奕工作順利。

幸運

打開一盒巧克力，香氣撲鼻，噫，林林總總，各有巧妙，急不及待，取起一顆放嘴中，如此美味，簡直是無上享受，做過什麼好事竟可得到這樣待遇，這同才華蓋世或花容月貌有什麼關係？

純粹是幸運。

真的，許多地方，根本買不到好的糖果。又有些地方，如此美食，只供應給有身份地位的特權分子。很多時候，心情欠佳，不想吃糖果。

健康不好，吃也吃得味同嚼蠟。忙起來，無暇與零嘴打交道。看，即使是這樣卑微平凡的樂趣，也不是每個人可以有資格享用。難怪基督徒成日說感謝主。

縱使非常勤力，做得非常非常好，也得有非常非常的幸運，沒有自由，沒有健康，焉能辦事。

洋人說：不要試煉你的運氣。運氣來的時候，切莫輕佻，要沉着加以利用，與其合作得天衣無縫。

發大財，名利雙收，固然是幸運，也不止是這樣，寫作的人喜歡寫，有得寫，寫得出，寫了有人看，看完還付錢，也算是幸運吧。

不懂得珍惜，才會把一切歸於理所當然。

巧克力頌

是那樣喜歡巧克力，如要列出三樣最可口食品，那該是巧克力蛋糕、巧克力冰淇淋，與巧克力奶。

喜歡到一種地步，便有所表示，一日坐下來，寫了一本書，奉獻給巧克力。

科學已經證明，吃了巧克力之後，腦部會產出一種分泌，使人類心情愉快，一如談戀愛所引起的激素。

沮喪的時候，心情欠佳，捧着巧克力老實不客氣當藥那樣吃，一次做完手術，身心受盡折磨，痛苦不堪，幸而小老蔡着人送來枱面那樣大一盒巧克力。

竟照單全收，統統報銷，涓滴不剩。

奇怪，也沒有什麼不良後果，衣服也還全部合穿。

每遇上新工、搬家、同老闆起爭執……等麻煩事，先置巧克力防身，可救賤命。

並不挑剔牌子，但如果可以選擇的話，則挑（一）吉百利或瑞士蓮黑色苦味純巧克力，（二）從前角落士多裏放在大玻璃瓶內磚頭似散裝巧克力。

人生在世，有賞有罰，上帝十分公平，工作，絕對是懲罰，但巧克力，卻是獎賞，巧克力，在古時，稱作諸神的美食。

香蕉糕

少年時嗜一種叫香蕉糕的食物，常拿一毛錢到學校合作社去買來吃，覺得真是天下美味。

又愛椰絲奶油麵包，最懊惱是它售價昂貴，要比普通麵包貴一角，時常不能負擔。

還有一種散裝碎磚塊似的巧克力，放在士多舖大玻璃瓶中，廉宜，但比任何名貴牌子巧克力更好吃。

還有豆酥糖，一小包小心翼翼拆開慢慢吃，以免一噴氣吹散最佳部份糖酥。

最近有點時間，一一去尋找失去的零食，重溫舊夢。

香蕉糕之難吃，令我大失所望，椰絲奶油包不過不失，當然，也一早知道那並非真奶油，故甜得發膩。

磚頭巧克力其實專供廚師做甜品用，可是美味依然，給一塊小女，讓她捧着吃，結果糊得一臉都是。

豆酥糖已經找不到了，踏破唐人街食物店，當然也沒有綠豆糕與白糖糕。

幸虧蛋撻依舊在，唉，幾度夕陽紅，彼時上海外婆家有一隻玻璃櫥內最多零食，記得外婆曾抱起幼小的我任我摸一樣出來吃。

真像是前世的事。

美食

二哥幼時愛吃生核桃，嘗說：「將來賺了錢，都要來買胡桃吃！」孩子們常吃些無聊簡陋且無益的食物，津津有味，沒齒難忘。

記憶中有那種浸在糖醋缸中的木瓜及椰子，一定是髒的吧，顏色鮮艷，質地爽脆，五分錢一塊，灑兩顆芝麻，醒人脾胃。

還有豬腸粉，加蝦米及葱的略貴。牛雜，很難得挑到塊金錢肚，後來知道，那是牛的第四隻胃。湯糰，糯米粉中藏有一小顆黃蔗糖，甘香可口。

麥芽糖，夾梳打餅乾。哥喇汽水，兩角一大瓶。鷄尾包，一角，始終沒查出為啥叫鷄尾。

紅綠顏色的蜜餞。士多舖中未經包裝的石頭巧克力糖。小罐裝煉奶。

老好菠蘿冰及紅豆冰。叫蓮花杯的牛奶公司冰淇淋。罐頭雜果！

快樂與財富及權勢有什麼關係？

一支果汁棒冰帶來的歡笑以後永難買回。

每逢食而不知其味，珍饈百味打背脊骨落的時候，就懷念以上種種好吃的東西，雖然不再，到底享受過。

蔬果

上海蔬菜特別好吃，最甘香是薺菜，一直懷疑薺菜其實就是洋人的野草苜蓿，形狀十分相似，炒來吃，或裹雲吞，沒話說。

其次就是草豆，也是一種芬芳的小葉子野菜，再就輪到豆苗、塌棵菜、雞毛菜、與小棠菜，外國還沒見過。

廣東人喜歡的西洋菜真可口，枸杞也好，芥蘭炒起來香聞十里，但玻璃生菜就比較淡一點。

洋人菜市場此刻都賣大白菜與紹菜，看，燜獅子頭已不愁作料，還待怎樣，菠菜、芹菜、粟米、綠豆芽與豆腐也很普遍，但沒有黃豆芽，多可惜。

老外愛煞朝鮮薊，可是菊蒿苣較香脆，做沙律不錯，比椰菜好吃多倍。

菇類也不少，蠔菇用來炒蛋至簡單不過，蘑菇切片，淋點醋與油便可以吃。

馬鈴薯、番薯，還有蘿蔔也找得到，嗜蔬菜如我，還是略覺失望，不過水果如櫻桃與草莓價奇廉、桃子杧果碩大多汁，略可平衡不足之意。

呵對，荷蘭豆與豆角四季都有，可是還是想念薺菜，雖然到了後期，農場薺菜已不如野生薺菜那麼香。

百合

有一種食物，上海人叫百合，相信是百合花的球莖，即是根部，同水仙花、風信子及鬱金香球莖看上去沒有什麼兩樣，但是可吃。

一個個那樣買回來，雪白，略沖洗，一瓣一瓣撕下，不，還未可以吃，需經過一重手續，要用巧勁，把每瓣百合尖拗下，順帶把薄膜也撕掉，否則煮了湯不好吃，太苦。

最愛百合甜食，加冰糖桂花水，煮至略糯，吃起來，清香撲鼻，又有點苦澀，回味無窮，愛賣野人頭，唬洋人者大可將百合湯發揚光大，噫，吃花，多麼風雅別致。

上一次吃百合，已是多年之前的事矣，令人懷念的還有新鮮蓮子，直接自蓮蓬裏掏出剝開吃，還有生蓮藕，切開來，藕斷絲連，拉得老長，終於不得不斷開，落入嘴裏。

吃完之後，沖一杯玫瑰普洱，或是茉莉香片，緩緩喝下，同做神仙差不多。

愛吃上海甜食愛至着迷，酒釀湯糰、八寶飯、綠豆糕、棗泥裏餅……根本不想吃正餐，來十客八客各式甜品即可。

小食

一直喜歡喝百合綠豆湯，有福同享，也逼着小說中女主角一起喝了這些年。

上海南貨店有新鮮百合賣，味甘帶澀，不知象徵人世間什麼事，其實是百合花的莖部，性能潤肺、止咳，清熱安神。

鮮百合裝塑料袋中，一袋數個，回家取出，洗淨，將鱗瓣拆開，候綠豆煮得軟熟，加進去，添適量冰糖，即成。

非常非常好吃，感覺尤其佳妙，像是頓時清雅起來，聯想到吃花的香香公主。

幼時坐桌前，陪大人剝百合，逐瓣撕一薄膜，吃時澀味稍減，情景歷歷在目。

許多江浙小食其實並沒有失傳，只是現買那些味道越來越差，春卷似鋼條，炒年糕只見肥豬肉，酒釀圓子竟是四方粒粒，胃口倒足。只好自己做，可見真是閒得慌。

最懷念的還有咖喱牛肉粉絲湯及油豆腐粉絲湯，都式微了。

不是不滿足於青瓜三文治，遺傳因子也總有發作的時候。

番薯糖水

有一種食物，叫番薯糖水，真好吃。

一般超級市場裏買得到番薯，分紅肉與白肉，紅肉比白肉好吃，紅肉本身已經夠甜，切塊，水中加一塊冰糖，煮廿分鐘，已經可吃。香、糯、甜、最適合吃，秋冬季下午，一覺睡醒，不管有沒有好夢，就可以大快朵頤。

因為簡單省時容易做，又價廉物美，大可天天吃。

從前，至愛吃的甜品是黑洋酥湯糰及糖藕，此刻南貨店都有現貨，因大量生產，只甜不香，看樣子還是自己動手最好。

老匡說他在三藩市淨管吃，故胖得不得了，無獨有偶，我亦孜孜不倦煞有介事做這個弄那個，吃得極多，可是，體重不變。

許多常見的甜食都合我意：新鮮摘的玉蜀黍、酒釀圓子、糖炒栗子、拖肥蘋果、牛脷酥、煎年糕……多多益善。

愛吃甜食，脾氣有希望由急躁轉溫和，吃飽飽，滋潤潤，不去想那麼多，自然少挑剔，便可以高高興興做人。

試試看。

甜！

葡萄酒、蛋糕、冰淇淋、巧克力、可樂……都應該是甜的，可是，甜到什麼程度，是一種深奧學問。

北美洲人嗜糖，一切甜食都甜得不能再甜，甜得苦，甜得不能下嚥，甜得文化蕩然無存，甜得東方人不敢沾唇。

看到超級市場裏擺賣一大個一大個甜到不堪的蛋糕，真會發獃，難怪另一角落就出售減肥藥。還有一種他妃蘋果，澆滿巧克力與糖粒，看多幾眼都覺膩。

他們吃冰淇淋還要加糖漿，刨冰與汽水杯子有兩掌高，少吃點糖？那不行，沒有人生樂趣了。

我們也愛甜食，但通常適可而止，略嚐甜頭，已經心滿意足，我們講究甜絲絲，甜味味，太甜，過份直接，吃不消。

歐洲人也懂得這個道理，他們的甜食，輕、香、軟，只有一絲甜跡可尋，還時常被酒味遮蓋，甜中帶點澀，回味無窮。

最喜愛的甜食是百合湯及桂花酒釀圓子，都不算甜，都帶苦味，都迷人心竅地香。

找一個下午自己動手做。

餅乾

有一種餅乾，叫Nice。四四方方，凹凸邊，甜的脆的，十分樸實，但是上面不知道為什麼，黏着一粒粒的白砂糖，吃起來份外香甜，真是美味！

就像一種特別經看的面孔，越看越好看，越來越想念。

還有一種叫「小牛油」的法國餅乾，也是烘得焦黃色的，香得離奇，一個下午可以吃下一整盒。

天啊。還有寶石餅乾，一小粒一小粒，英國貨，那罐頭卅年來如一日，未曾改裝，水準中的水準。

小時候一生病，除了吃肉鬆白粥，還有這種不油膩的餅乾吃。

花巧的餅乾不可愛，有種虛僞，蛋糕是應當夾奶油的，餅乾要安份守己。

牛油小餅乾

大家都說，達利終於到他的超現實世界裏去了。

這位怪傑畢身所愛有：（一）他自法國大詩人艾昌雅手中搶過來的嘉拉，（二）綠色的美鈔，（三）法國小鎮的一個火車站，（四）行貨畫匠，（五）露牌牛油小餅乾。

噫，口之於味，有同嗜焉。

露牌牛油小餅乾，歷史悠久，美味可口，是日常生活中不可缺少的零嘴之一。

這種餅乾輕而脆，且不膩，丹麥牛油餅乾太糯太甜，它沒有這個毛病，咬下去刮辣鬆脆，烤得很焦，香得出奇。

每一塊約三乘四公分，曲曲邊，最古老的餅乾式樣，與香煙餅乾，肚臍寶石餅乾互相輝映，每次吃，都想到小時候如何因為測驗成績好而獎到一盒享受，感覺溫馨。

杜老甫這樣說過：且樂生前一杯酒，何須身後千載名。

做得最高超者，當然是生前應有盡有，身後留芳百世。

不能的話，還是活得舒服要緊，健康的精神與身體，適量工作，吃不光的餅乾。

蛋

吃素有兩種，花素是可以吃蛋類的，差好遠。

蛋真好吃。感冒得奄奄一息，聽見皮蛋白粥，精神也略為一振，吃膩了，改鹹蛋，稍遲，煎荷包蛋。

最忙不過來的時候，恰一打雞蛋，慢慢享用，每日兩隻。

又可以做蛋花湯，蛋炒飯記得加兩粒葱花。

五香茶葉蛋是著名點心，水波蛋是甜食，可加酒釀圓子一起吃，牛奶燉蛋簡直豪華之極。

冰箱裏只要有蛋，總能變出一兩樣食物來。

最挑嘴的孩子，也並不討厭吃蛋，出現在卷子上，又另作別論。

劉姥姥那隻價值一両銀子的鴿蛋，真正使讀者笑中淌下眼淚來。

又有句話，叫蒼蠅不抱沒縫的鴨蛋。

許久許久之前，傍晚，外公自外返家，注意到女兒們碗中有鹹菜煎蛋，咆吼說：「還沒有發財，怎麼伊們都吃起雞蛋來了。」

每次吃蛋，總想起這則重男輕女的故事來，不禁莞爾，有七十年了。

這樣普遍的食物當年也道出女性辛酸，今日真要狠狠享受它，以及其他。

咖喱

咖喱真好吃。

本市一般的咖喱牛肉咖喱大蝦已經洋涇浜化，不夠勁不夠嗆，不夠道地。

以前辦公廳裏有許多印巴籍同事，在他們帶領下，尋幽探秘，也試過道地的咖喱餐。

倒並不是一味靠辣，各類熱帶不知名棕紅色的香料粉末，在專心炮製下香得食客魂飛魄散，學着他們那樣伸手便抓，薄餅吃完一張又一張，飽得不能動彈。

最後遞上一杯牛奶紅茶，一般也滲了香料，越喝越渴睡，雙眼都瞇起來，耳畔聽到釋他如泣如訴，真想趁機做一個夢，游到神猴與王子的國度去……

只有正宗咖喱有這種藥效。

煮咖喱不是簡單的事，下手太輕，吃起來似葡國汁，淡若無味，狠一狠心放大膽子做，又嫌鹹辣過份，是原料問題，靠罐頭咖喱汁是行不通的，要逐種香料買回來配搭。

新加坡的咖喱相當到家，加了椰汁，灑上椰絲，甜滋滋，配番紅花炒飯一起吃，增磅也不後悔。咖喱已成為國際性食物，全世界都吃得到。

咖喱汁同石榴汁一樣，沾上衣服，洗不褪，所以要額外留神。

豬肉

咕嚕即洋人至愛中菜甜酸肉，在倫敦，又叫京都骨，在溫哥華，叫滿地可排骨，味道都差不多。

上海人的糖醋排骨，是最美味的一種變化，做得較為精緻，喜歡吃肥肉的我較喜紅燒獅子頭及蹄膀，可是身在異鄉，時時叫客咕嚕肉。

最受歡迎的菜總是新鮮的，配一客揚州炒飯，一碟青菜，孩子吃得最高興。

一次點菜，一人叫一種，一說咕嚕肉，朋友統統皺眉頭，可是菜上來，又吃光光。

淨吃素，不夠力氣，非要有肉不可，豬肉是白肉，比牛肉健康，熬起湯來有一股肉香，可傳出多里，據捱過餓的老二說，真會叫人垂涎三尺。

每次做白片肉，總笑說：「這便是水滸傳中九紋龍八雲龍等好漢一頓可吃一斤的肉。」

豬肉在農家是極之可貴的一道菜，故有「沒吃過豬肉，也見過豬跑」一語。

現代人根本不稀罕吃肉，我總是落伍，到了這種時候，吃西菜反而叫雜排，尤其吩咐要加一塊牛肝。

弱肉強食。

芝士通粉

有一種食物，叫做麥克隆尼芝士，對我來說，真是人間美食。

麥克隆尼是意大利眾多麵食之一，港譯通心粉，營養豐富，易消化，係孩童恩物，加芝士汁調味，百吃不厭，最宜宵夜，後果自負，極易增磅。

芝士通粉可自製，手續頗為複雜，當然不是大菜，不過通粉煮得軟硬適中，芝士汁厚薄恰當，亦是一宗學問，懶得試驗，索性買現成的。

現成的亦分好幾種，永遠包裝貴過食物本身，為求快捷方便，在所不計。

多個牌子試勻，揀到最好，立刻大量上倉，依時依候取出一客加熱即食，妙不可言。

對食物這樣易滿足，給若干朋友知道了，大概會鐵青着臉吼一聲：「咄！活着做什麼？」

他們動輒要求龍蝦肉絞碎調味灌進腸衣裏蒸熟，這當然也希望有機會一嚐，不過日常生活，薯仔沙律、火腿三文治、煙肉蛋已經足夠。

最要緊是心情愉快，什麼都想吃，吃得下。

中年人生活中不知幾許煩瑣事足以影響胃口，很多時候有龍肉都勿想吃。

栗子

糖炒栗子最好吃。

幼時放學，如果是秋冬兩季，一回到家，便進房伸手到枕頭底，摸摸有否栗子，很多時只三五顆，用棕色小紙袋袋着，還暖和，連忙剝開來吃，香軟甜，難以形容。

彼時有一檔良鄉栗子，在皇后戲院後門，一塊錢有交易，顆顆新鮮，油光水滑，按破殼，果肉會得跳出來，貨真價實，沒話講。

後來找不到那個人了，一般攤子的栗子水準良莠不齊，有些好像是先用水烚熟，然後隨意炒兩炒，味道差得多，這是真可以怪杜會的，各行業都急功近利，年輕小販可不耐煩一下一下的炒。

日本人也賣糖炒栗子，打着中日友好的旗幟，原料自東北運去，美味之極，三五斤那樣買，冷了還愛吃，每次都吃滯，弄得胃氣痛。

比較有空的時候，也跑到街市去買栗子，洗一洗，用糖漿漆一漆，放烤箱裏，三十分鐘有得吃，不過每隻栗子都要割一刀，否則會得炸開來。

做零嘴吃，最不辭勞苦，除了栗子，也做烤番薯，不知為什麼，該類原始的、簡單的、便宜的食物，最動人心。

罐頭湯

一直沒有戒掉罐頭湯。

大概是不想，一方面意志力也日漸薄弱，而且也捨不得。

據説有人聞到它味道便會哭，所以你看，青菜蘿蔔，各有所愛。

十多歲就開始喝它，煮滾了，盛在杯子裏，一邊寫一邊閱讀一邊看電視一邊説電話，什麼都可以，味道鮮美，符合衞生，節省時間。

寄宿生有三大營養快餐：罐頭湯、焗豆、康補寧。務求把所有精力用在功課上，三月不知肉味不打緊，沒有學問，無臉見爹娘。

到如今，已成為最溫馨的食品，特別喜歡在非常累非常失望或是生病的時候喝它，感情上當它是大力水手的菠菜，激增力量。

沒有可樂、香煙、老酒、糖果、咖啡都可以。

但紅茶與罐頭湯是生活必需品，也許會一直喝到七老八十，除非屆時有新發明。

像太空人航天時吃的牙膏餐，更加簡單，方便獨身人、老年人，以及兒童。

因為不是每個人都有時間有精神有興趣天天出去吃八道菜晚餐。

菜式

「吃的不是鹹魚蒸肉餅、蛋花湯……名貴菜式包括蟹肉杧果沙律、紅鮋扒、嫩羊肉伴薯茸。」

這些西菜有什麼好吃？聽了都作悶，換了是我，一百次，一百次都選鹹魚肉餅、蛋花肉絲湯，還有，金針木耳蒸魚腩、梅子蒸排骨、雞蛋焗魚腸、大地魚炒芥蘭、大豆芽菜炒豬腸……

誰要吃時鮮生果雪葩？當然是芝蔴糊、生薑湯圓、牛脷酥、豆沙煎堆。

白糖糕都比雪葩好吃。

西菜中自然有一級美味者，卻不是蟹肉杧果沙律這種行貨，正是：一級西菜味道同一級中菜或者有得比，可是一般中菜卻比一般西菜可口一百倍。

願意吃魚柳包，可是拒絕紅鮋魚扒，認為蝦醬炒通菜是天下美味，羊肉薯茸則不必了。

愛煞廣東家庭小菜，榨菜蒸肉絲也非常好吃，豬肉蓮藕湯、煎紅衫魚、銀芽炒魚肉、蛋餃，均所欲也。

説着説着，嘴饞得不得了，幾乎沒流出口水來。

荷包蛋多好吃，比奄列強十倍，在這個上頭，無論如何不胡亂崇洋。

水果

在方盈家吃水果蜜餞，話題自然移到在吃的東西上去了。

她在北平吃過活的山楂，這玩意兒長在樹上的當兒自然不是一片片的，據她說皮還是鐵銹色，肉是白的，一粒一粒，可以做成冰糖葫蘆。

嘉應子活的時候像梅子，並不黑，後來不知道怎麼顏色就變了。蜜餞的原理很可笑，微生物引致水果腐爛，多數微生物跟人一樣需要營養水份與空氣，人們把水果中的水抽乾，水果中的糖份密度增加，可憐的微生物便活活的甜死，水果也就不爛了。

紅棗生的時候也好吃，她說是脆爽的，皮還是紅的，不然不能叫紅棗，想像中味道應該與地中海棗差不多。真是悲哀，中國的水果中國人沒吃過。

二哥說那時候火車南下，北方的軍人不懂吃香蕉，連皮直啃，都說難吃。中國看情形是相當的大。

在英國，同學喜歡吃西班牙柑，像皇帝桔，告訴他們，我們的橘子有拳頭大小，他們不相信。後來有一本食譜，具各色熱帶水果圖片，有紅毛丹、榴槤，一一形容給他們聽，他們駭笑，他們連甘蔗可以拿在手中吃亦不懂，真可憐，來來去去只有橙、蘋果、香蕉，自助菜桌上如有新鮮菠蘿，嘩！

石榴

看到石榴總忍不住買一隻帶回家中觀賞。

它是齊白石最喜歡的寫生對象，一如畢加索喜歡海膽。

是外型奇突的一種生果，果皮嫣紅可愛，剝開，寶石似子一顆顆綻出來，華人堅持人多好辦事，石榴多子，視為吉祥兆頭。

希臘神話中石榴子也佔一席位，撰寫神話者必定亦是貪其美色。

石榴子苦澀不好吃，吃起來也實在太多工夫，剝開之後，往往擱那裏直至霉爛丟棄。

平日最常吃的仍是口口肉的香蕉蘋果無籽葡萄之類，真煞風景，可是，時間總是不夠用，閒情一去不再，凡事越是便利，越受人歡迎。

除出石榴，另一樣不常見漂亮水果是新鮮蓮蓬，晶瑩亮麗的嫩綠色，蓮子一粒粒嵌在蓮帽上，可以撥動，但不會脫出來，可當玩具把弄。

紫紅色的菱角也是，模樣、滋味，均別具一格，與眾不同，都不大容易吃得到。

這一代愛喝果汁的孩子不大見過果子真像，同奇花異卉，只在圖片中欣賞。

桃子

本喜吃桃子，香且膩，質地是其他水果所無。

可是不常買，因覺是種壓力。

桃子通常半生摘下，買回家中，很少當日便可吃，得擱在某處，待它熟透，又非擺當眼地方不可，否則轉眼忘記，會爛成一堆，白白浪費。

不時要去捏一捏，看可吃了沒有，想吃之時，它往往還是生硬。

熟透時香氣極濃郁，像在提醒人：好吃了好吃了，不然要爛，可是那一刻不一定肚餓，有時一吃要吃兩個，是種負擔。

那麼麻煩，不如吃橘子蘋果，幾時吃都行，擺一個月也無問題。

由此可知，討厭壓力到了什麼地步，不可避免的人事糾葛工作死線錢銀往來已經夠麻煩，其餘可以控制之事可免則免。

這也許是現代人為何不再談戀愛的原因吧，幹什麼？還不夠煩，還要自投羅網？組一個兄弟班，找一個伙伴，我幫你，你幫我，彼此扶持，不知多好。

橘子也很香。

食

食無定時多年。食無正經亦多年。

一次，聽同齡友人說：「除卻孩子，真不明白還有什麼人可以吃得下麥記的食物。」

大氣都不敢透，生怕他誤會有人扮老青春，事實上卻是麥記老主顧，還有，家鄉雞，還有炸魚薯條，還有，即食麵、罐頭湯……

伴着茶包，即沖咖啡、可樂，一鼓作氣，吞下肚子，自詡吃的是草，擠的是奶。

沒有上述食物，日子不知怎麼過。

一次，謠傳金寶湯要關門，還有，市面上庇利埃礦泉水有問題統統收回，耳畔嗡一聲，惺惺然，糟，吃什麼？

比較有心情與時間的時候，不過泡泡咖啡店，吃一客公司三文治，巧克力冰淇淋蘇打之類。很多時渴望吃家鄉菜：炒年糕、黃魚羹、毛豆子，鹹菜肉絲泡飯，老正興太遠了，一年吃不到一次。

小友心思足，中午時常買了最好的廣東點心到舍下邊談邊吃，她亦苦忙，略咬幾口，即刻丟下上班去，趕得額角都是亮晶晶的汗，週末，又在最好的館子訂妥枱子侍候老人家……然而我不嗜吃，不過記得盛情。

庭前看花開花落

雲南茶花盛開，花種包括童子面、早桃紅、大瑪瑙、鬆子鱗、牡丹茶、恨天高、獅子頭及紫袍八大名貴品種，花朵碩大，色彩艷麗，當地各族種植茶花已有千多年歷史。

花名變化萬千，只有「恨天高」比較難明，它是什麼顏色，蛋青抑或淡黃？

兩百多年前，英國茶商去到雲南揀貨，一見國色天香，立刻把玫瑰、茶花以及牡丹設法移植到老家，從此玫瑰成為英倫國花，十分有趣。

花裏邊最好看的無異是牡丹：碗大，花瓣繁複，編排緊湊，華麗得喜氣洋洋，而且它有一股甜香，沁人心脾，堪稱花中之王。

前園有一株前屋主種下的藕色牡丹，春季開出數十朵花來，花瓣邊有細細紅絲，這就是金庸書中形容的「抓破美人臉」。

開頭把花剪下，捧進屋內，插瓶中欣賞，後來不捨得，任由它自然花開花落。

花市中花種無數，與愛花人士説起，還是選玫瑰與梔子。

每到春來，大家忙個不亦樂乎，大規模種植。

惜花

花裏邊，數玫瑰最好商量，一公尺高的嫩枝買回來，栽進土裏，施肥、加水，有沒有極好的陽光無所謂，枝高、葉疏、不易長蟲，一兩個星期之後，已可欣賞到花朵，而且這花由四月一直開到十月。

種過玫瑰，簡直不想種別的花，太難侍候了，且不見成果。鬱金香，十二月種下球莖，要待下一個春天才開花，只開三五七天就謝。紫藤，夏日種秧，第二年還是一副稺嫩嬌慵狀，不知是否要再過三年才攀藤開花，問一問人家，竟說十年老樹才有齊白石畫中那般茂盛。

滴血的心，種不活，氣候不適合。梔子，十一月動土，明春且看閣下運氣。

杜鵑、茶花，統統靠老樹，一年修剪兩次，開花時極美，但為時極短，花謝時一團團鐵銹色，叫人惆悵惋惜。

其餘易種的矮花叢不是有色無香，就是有香無色，不足擔大旗。

一些地衣式半野花如石南是很好看的，發展得順利，庭院有英國味道，薰衣草貌不驚人，香氣撲鼻……

花是上帝在心情特佳時賜給人類的禮物。

梔子

第一次接觸梔子花，是因一首民歌，叫梔子花開，歌的第一節形容梔子花如何芬芳如何標致，接着那女孩唱到主題：「等到來年花開時，親自跟你送花來。」

原來她不過想借花明年再去看他。

隔了許久，才發覺梔子花就是洋人的嘉汀妮亞，形狀同香奈兒的標誌茶花有點相似，但茶花又是另一個故事了。

母親說，上海人叫梔子做珠子花，她不喜歡它是因為它的枝葉上多數爬滿一種會叮人的黑色小蟲，且花瓣也易爛，花之中不數它高貴。

廣東人叫白嬋。

可是那香味！在那種悶熱黃昏，天際翻滾着灰紫色雲，雷聲沉鬱隆隆，我們惆悵如舊，梔子的香味似要霸佔侵襲我們的靈魂。

怕只怕明年花兒更好，只是不知送往何處何地。

較年輕時，曾經揚言要在後園種滿各式白色的香花，滿足觀感。

最近大抵也知道無此精力時間，乾脆俗到底，貫徹始終，喚人種一排玫瑰花算數。

花事

迷戀一種花，叫滴血的心。

據說是牡丹的變種，外型無一點相似。

又傳說十分粗生，實則不然，種過多次，一無所成，結果還是成盆那樣買回觀賞，花謝之後，也不復再生，只得成盆扔掉，明年再來。

花小而密，一串串，遠看像鈴蘭，湊近看，才發覺真像一顆顆小小的心，尖墜處有一粒花芯，似心在滴血。

花有紅白二色，清晨發出嫩草般香氣，十分動人。

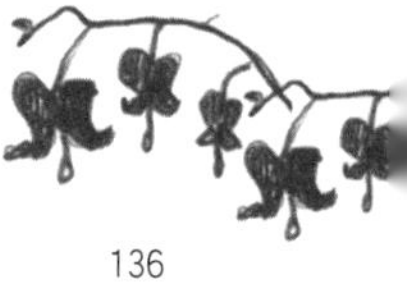

愛花人士眾多，春夏兩季，真是花季，正是政府在花園與路旁大種特種，市民在園子裏亦忙個不已，那還不夠，陽台與戶內也放滿盆栽。

一日，路過某街，看到電燈柱上掛滿紫羅蘭，不禁喃喃道：「瘋了」，立刻效法狠狠地買了兩盆梔子花。

超級市場、街角士多，無處不擺滿花束花盆，售價十分廉宜，可傾情大買特買。

這是草本，那是木本，這要大量陽光，那個需天天澆水，忙個不亦樂乎，你若喜歡，便不覺無聊，認為是一宗享受。

仙人掌

仙人掌真是可愛，種類多，樣子變化無窮，忽然之間出其不意地開出花來，鮮艷奪目，美不勝收。

最普通那種球形帶刺仙人掌，可以長得足球那麼大，看了愛不釋手，售價昂貴，還是其次，非常難養，不加水，它不長，水太多，根部腐爛，嗚呼哀哉。

倪匡養仙人掌最有一手，狂澆水猛暴曬，自製玻璃暖房，款款開花，真令人羨慕。

在原生地，仙人掌極之粗生，蘆薈，也是其中一種，印第安人受傷，割下一片，包紮傷口，不消一會兒，其藥療作用便使傷處痛楚大減。

著名的墨西哥塔基拉酒，也是用龍舌蘭發酵釀製，用途還真不少。

有時候想，當然最理想是做一朵玫瑰，但，人生不如意事常八九，那麼，做一棵仙人掌也不壞。

它有種喜怒不形於色的氣質，一年四季是那個樣子便是那個樣子，悠然自得，滿身尖刺，卻不犯人，慢慢長大，不留神還真看不出來，很有一套。

生有綠拇指，種什麼活什麼，鬱鬱蒼蒼，蓬蓬勃勃，真是天賦。

生活不知平添多少樂趣。

勞作

一直喜歡勞作：縫紉、編織、刺綉。

少年時期幾乎每件衣服都是一部勝家萬能衣車協助下的製成品。至今看到時尚雜誌上刊登的名家設計紙樣，還蠢蠢欲動，想一顯身手，證實寶刀未老。

懂得縫紉，就不肯選擇手工差的衣裳。走進時裝店，態度比較挑剔，儼然行家狀，動輒把裙邊反出來細究，實在討人厭。

手工這樣事情，其味無窮，也是一種創作，與繪畫寫書無異，熟能生巧，白襯衫完工後可在領口綉一朵圖案；還有，布裙子可加上細絨線編織的一雙袖子，說起來都技癢。

新女性從來不稀罕這些，為着追上潮流，不敢彈此調調兒久矣。

去年逛公司，看到皮貨店內有一箱箱碎軟皮料出售，價格便宜，頓時技癢，想買一兩公斤回來拼幾隻書包送小朋友。

玩物喪不喪志倒不要緊，最近時間比較緊，一件背心織得灰黑，尚未完工，便不敢大興土木。稍後吧，稍後非鑽研各種碎花布拼綴圖案不可。

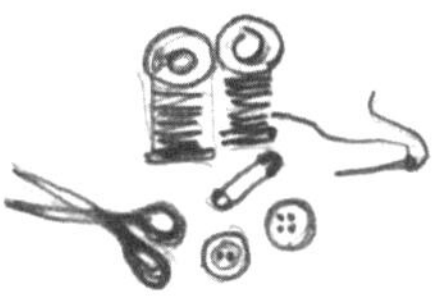

編織

十分喜歡手織毛衣，大概是同好者眾，所以漸漸有店鋪專門出售該類毛衣。

最常見款式有夾花與辮子兩種，夾花是配各色絨線織出圖案，由小狗小貓花卉到整幅風景不等，有些真的工程浩大，令人嘆為觀止。

辮子亦分十多種，扭來扭去，花紋微凸，十分有趣，男孩子穿上尤其好看。

手織毛衣售價相當昂貴，有些精緻得像工藝品，不捨得穿，簡直可以掛在休息室或書房當裝飾品。

家母擅長織毛衣，記得童年時有一件粉紅色毛衣，胸前一排貓頭鷹，圖案生動活潑，至今歷歷在目。

大姐比母親織得更好，她精工織蕾斯，即網孔花邊，整件衣服上都是排列美觀半透明的圖案，一針錯不得，有幾種花樣還是不能拆的。

我什麼都不會，看到店中有售，便略選一兩件，一邊評曰：「這樣花紋，母親全盛時期，三天可織一件。」

我擅長什麼？大抵是要求加稿費吧，唉，你的時間用在哪裏真是看得見的。

這一項手藝，到了廿世紀末，可以說已經半失傳了。

織絨線

織絨線可鬆弛神經，同玩電子遊戲機一樣，全神貫注，精力被吸收到另一境界，渾忘生活壓力。

而且織好毛衣，可以送人，真正禮輕情意重，用不粗不細的絨線織成外套，起碼十萬八萬針，不喜歡一個人，誰耐煩做這種水磨工夫。

最好選花樣複雜的式樣，起碼學扭辮子，非常有意思，一下子便達到忘我境界，掛住記針數，再沒有閒情悲秋，一樂也。

所有勞作都有這個好處，本來縫紉與綉花一樣好玩，可惜傷眼力，

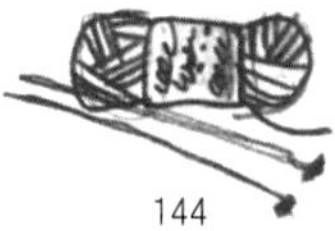

比較不受歡迎。

陶瓷與木工也是上選，但牽涉的工具太多，攤開來不得了，再大的書房都怕放不下，不能普及。

繪畫、寫字，是要講天份的，否則徒勞無功。

算來算去，打毛線最方便，廉宜，實際，故此許多女性，身邊毛線四季不斷，有些巧手織得比買回來的還精緻美觀，不止是消遣那麼簡單了。

開頭的時間，當然用平針織圍巾給某君。後來，是背心，再進一步，上衣。一個男人，一生中未曾穿過一件半件手織毛衣，倒也是一樁遺憾的事。

玩具店

據個人經驗所得，最受女孩子歡迎的玩具，還是芭比洋娃娃，要不，就是軟毛動物，有一種毛蟲似軟玩偶，買完一次又一次，再一次，店員都笑問：「又是你？」家中連姪孫在內共十多廿名適齡兒童，很多時候，為免臨急抱佛腳，有空挑一大堆，按需要送出。

逛玩具店實在是人生一大樂趣，小男孩喜歡的遙控模型車、飛機、積木，都精益求精，億萬元一年的生意使玩具商夙夜匪懈，努力求進步。

大人們在玩具店最常說的一句話是「我們小時候哪裏有這些……」無限自憐與惆悵。

永不太遲，此刻嘗試還來得及，喜歡哪一種就挑哪一種：電子遊戲機有大有小，五百多種款式，會講話唱歌的鸚鵡、小狗、熊貓，組合變化無窮的超合金積木，統統可以玩到深夜。

不要刻薄自己，平日從早到晚就是談買賣，講生意，討價還價，你虞我詐，累死，成人遊戲固然不得不玩，成人的玩具亦不得不擁有一些以示身份，但，如有童心，大可與小孩打成一片。

玩具使人精神完全鬆弛，嘻哈絕倒，玩具的功用，可自小孩笑臉看到。

玩具

外國婦女雜誌責備玩具商不思上進，不願創新，提供給男童的玩具永遠是鎗、車、兵、怪獸，給女童的消遣一直是洋娃娃、廚具、小動物。

尤其對女孩子不公平，玩具不但沒有啟發性，且逗留在非常原始的地位，有一種說法：最無聊的玩意兒是流行多年的芭比娃娃，只能培養女孩的虛榮心。

這麼言重。

難道打十歲起就得穿戴整齊了往女強人辦公室做旁聽生才有出息乎。

一直認為最低級的玩具才最好玩：吹肥皂泡、彈橡皮筋、替洋娃娃洗澡、辦家家酒，消閒嘛，不是已經把功課做好了嗎，還要怎麼樣呢。

不能整天學習學習學習，學完跳舞學彈琴，然後再添一科法文，學得消化不良。

娛樂性豐富的玩具才受歡迎，益智性玩具不是每個人應付得來。

買玩具的時候，仍然選裝飾得華麗閃爍的玩偶，造型可愛的毛毛動物，最好是一看就忍不住笑出來那種，要不就是電子遊戲機，殺個天昏地暗。

玩具都講內涵，太沒意思了。

人形玩偶

玩具裏面，以洋娃娃最奇怪，我們生活在人擠人的世界裏，還要用手工做了同人一樣的玩偶，捧在手中玩。人真的有那麼愛人嗎，又不見得，但是都喜歡做得精緻的洋娃娃。

玩具部始終是洋娃娃最吸引，逛了又逛，好此不疲，特別鍾意那種長長金頭髮、大玻璃眼珠、白瓷臉的盛裝人形，嗚呼噫唏，可見是個俗人。

洋娃娃是人類玩具中最古老的一種，公元前三千年已有木刻原始玩偶製成品，頭髮還是用細小木珠串成，十分美觀及富想像力。

希臘人、愛斯基摩人以及印第安人都喜歡做人形玩偶，中國與日本做得更加精緻，不過真正的能手還是歐洲人，栩栩如生，古董玩偶價值連城。

光是擺在那裏看還不夠，因為只能維持站與坐兩個姿勢，於是又再發明傀儡，手腳頭部可任意調弄，並且寫了劇本，令掌中木偶或提線木偶演出早已編排好的情節戲文。

原來人類的慾望與滿足是希望控制調唆另外一個或是一群人，故此玩起洋娃娃來，特別高興。

小小孩子就愛對洋娃娃說：「坐在那裏不要動，一會兒帶你出去走。」

洋娃娃

最漂亮的洋娃娃，可能是日本VOLKS廠出品的Super Dollfie。

它身長約真人三分一，五官依照東洋動畫及漫畫中人形，用一種特別柔軟材料製成，四肢可以隨意曲折。非常像真，加上沒有笑容的秀麗臉容，以及鬼影幢幢的大眼，叫人憐惜。

售價相當昂貴，約美金一千左右，衣飾、假髮另計，眼珠亦可更換。

我在互聯網頁見過一個短髮穿黑皮衣褲靴的洋娃娃，作坐姿，十分慵懶狀，好看煞人。

洋娃娃的衣服可以分件購買，像絨線帽二十元有交易，時時瀏覽，成為團友。

久了會得着迷，相信北美洲很快會有出售。

我一向喜歡洋娃娃，曾經擁有許多五吋高凱莉娃娃，她是芭比的小妹，又喜東方小孩臉容的玩偶。

小女毫無興趣，幼時曾擰脫洋娃娃頭部，查看是何種裝置叫它說話。

對於Super Dollfie，她說：「可怕，說不定晚上會起立到處走動，千萬不要帶回家。」

積木

嗜玩樂高積木，好之不疲，一盒一盒搬回來拼搭消磨週末下午。

樂高製作精緻認真，設計可愛，有許多許多種類，豐儉由人，十多廿元一部小車子也有交易，太空基地則要數百元起碼。

成年人玩樂高，要求比較高，一定要有動作，多款車子都可裝上摩打，或用電池發動，機械人與火車最有趣，幾可亂真。

玩到興起，軌道不夠長馬上添多三四副加長，能裝閃燈的地方毫不吝嗇的裝上，為求做到盡善盡美。

什麼都會玩上癮，喜歡的式樣幾乎不捨得拆開來拼砌，說明書先讀得滾瓜爛熟，做起來事半功倍。

一日在街上，無意看到一具樂高電話，真的可以打得通，目瞪口呆。

這種玩具流行已經數十年，一歲到成年人都適合，樂高每年都舉行展覽會，人龍長得環繞展覽場地數圈，今年主題為世界之船隻，甚至鐵達尼號，都有展出。

有沒有成年人癡心輪候去看展覽？

當然有，工作時工作，玩耍時玩耍，各人對玩的要求不一樣就是了。

香水名

世紀初，香水的名字叫做埃及妖后、維納斯、矜貴玫瑰、愛之秘、請來共舞。

二十年代：青春之焰、我的罪、尼羅河之水，在這個時候，香奈兒第五號與沙利瑪亦已面世，較奇怪的香水有麻將，早已絕跡。

三十年代：溫莎公爵夫人、梅惠絲、紐約客、亂世佳人、斷頭台（！）、撒旦、巫道、月下、蘭花，以及華爾茲中兩顆心。

四十年代：引誘、疑惑、寂寞、嫉妒、不羈、和平、自由之鐘、銅鈕扣、勇氣、快活離婚婦人。

五十年代：羅馬假期、雷鳥、愛與婚姻、愛之餌、保護我、細腰。

六十年代：禪、陰陽、黑豹。

七十年代：所有名人都以出產香水為樂，包括左岸、采妮、鴉片、白麻。

八十年代：毒藥、華爾街、紅門、智慧、比真、鐵芬尼、永遠的姬絲桃、情慾、不馴……

種類繁複，不能盡錄，命名匪夷所思，流傳長久的種類少之又少，最喜歡的一隻名字叫午夜飛行。

太想飛出去了。

香

香味，是一種極好的感覺。

大暑天，在冷氣機前面放滿滿一瓶薑蘭，靜靜坐着，但覺香氣無處不在，沒頭沒腦，如網般撒下，避無可避，只得挺身享受，活着還是好的。

是以人類發明了隨時應用的香氛，裝在小瓶子裏，任意攜帶，不論在什麼地方，什麼時候，都可以沾上一點香，暗自喜悅一番。

香水有數百年歷史，貴得無理的奢侈品，但在富庶的社會裏，生意還真不賴，誰也沒聽說過香水大減價這回事。

在再潦倒的時候，人窮志不窮，女性也應有香水陪伴。

老牌子香水，味道倒還罷了，叫人神往的是名字，多少遐思在裏邊，像午夜飛行，是因為一次大戰時的飛行員多數在午夜出發征戰，戀人用這種馥郁的香氛，使他臨行得到美好回憶，即使是最後一次。

琥珀色的香水裝在拉利克設計水晶瓶子裏，美得具催眠作用，凝視良久，漸漸令人忘卻煩惱。

許多香水用料超過十類八類，只有蒂婀莉絲慕，獨獨採用鈴蘭，從一而終，難能可貴，而且香味因此十分清逸，適合少女。

露露

一直喜歡露露這個名字。

是露易斯的簡稱。

幼時父親常買了小露露漫畫回來，一句一句翻譯給我們姐弟聽，對這個名字自七八歲起就有親切感，回憶溫馨。

尤敏的英文名叫露露，還有，美麗的二十年代女星露易斯勃洛斯也叫露露，法國凱昔露公司特地為她創作了一隻香水，就叫露露。

香水廣告設計動人，一開頭，有人到處找，一邊叫：「露露，露露」，終於有一個清麗脫俗的少女轉過頭來，答曰：「OUT CEST MOI.」是，那是我，完全有燈火闌珊感。

是一個非常非常女性化的名字，近年來不太有人用，因為怕露出太多女性特徵，有礙發展學業與事業，誰見過叫露露的大學教授或律師醫生，她們統統叫依利莎伯或馬嘉烈。

廿一世紀新女性，或許要努力把女性特權連利息追討？

下了班就是下了班，個人成就管個人成就，不必往家裏帶，在私人時間裏，仍然做其小露露。

好聽的名字自有許多，選擇卻講私人感受。對，還有，第一個試管嬰兒，叫露易斯勃朗。

香氛

許多人都說，聞到某種香水，聯想到童年時與母親相處的好日子，溫馨而留戀。

即使是今日年輕貌美富庶的母親，也不是個個用香水，小友皮膚敏感，從來不用香氛。

香水用得好，沁人心脾，永誌不忘，秘訣是在似有似無間。其實做任何事的秘方都是若不經意，表面上太努力用功實在叫人吃不消。

佛洛依德說，回憶由聲響或氣味組成。這是真的，一聽見叮叮響，就會驀然想起中學時一早乘電車到銅鑼灣上課那段時間，一直盼望長高，手可以攀到車廂頂的扶手圈圈。

印象最深的是狄奧萊拉香水，只採用鈴蘭一種花，清逸到極點，不能久留，至今走過百貨公司化妝品部看到，還想起那一年只帶一套換身衣服及這一瓶香水走歐洲。

女主角都用嬌蘭的午夜飛行，貪其名字浪漫：飛機剛發明，不適宜晚間飛行，可是他為着見她，不惜一切，飛出去……以後都沒有那樣啟發性的名字。

我是反對男女合用的香水的，那還有什麼意思。

銷魂

你聽過肯尼G的色士風沒有？你會同意那音色真是如怨如慕，如泣如訴吧。

在夏夜，聽見那樣的音樂，不管你年歲多大，不管你處境如何，總會讓你抱住頭，悄悄落下淚來。

一位讀者寫信告訴我，肯尼G最近有一首曲子，改編自福建小調，哎呀不得了，那靡靡之音，簡直叫人銷魂。

得到這個消息，立刻往唱片店去搜尋，不得要領，已去信探聽詳情。

直接上覺得那支曲子是《望春風》，試想想，用色士風吹奏《望春風》，該是何等動人。

坐在寫字枱前，已經心嚮往之。

最好手握扁平袋裝酒瓶，隨時喝一口，一邊聽色士風音樂，一邊悲苦地抱怨不知時間去了何處，還有，紫藤花總是開得不理想……

可惜總不能如此瀟灑，天性使然，每日均無事忙，撲來撲去，張羅生活。

曾經一度，甚想學習吹奏色士風，未成，又逼小說中主角那樣做，他們當然一學即會，一會即精，於是，略覺安慰。

色士風

芸芸樂器中，最希望會得玩金色的色士風。

像世上所有工夫一樣，要做得好，大概都是廿年精神時間心血積聚，非街外人一句有興趣我想玩，可以達到目的。

故此多年來只是遠觀，那樣幽怨溫柔的靡靡之音，吹奏出情歌來，如泣如訴，如幽如慕，學會了，在友好聚會當兒，把工夫施將出來娛己娛人，多麼開心。

於是猶疑地問友人：「有一隻電子色士風，先學習那個……」人家很客氣地解釋，正如電子琴不等於鋼琴，電結他完全不同木結他，電子色士風也是另外一回事。

在樂器店內研究多姿多彩的色士風，發覺有兩種尺寸，較小的應當適合業餘者，緩緩婉轉吹出那些老好情歌如《七個寂寞日子》與《我不能停止愛你》，一訴情懷，那是大家都能夠明白的思念與感情，並且毫無保留地熾熱，比起來，小提琴是太過遙遠了。

一早不顧一切，鼓起勇氣努力，此刻也可以勉強奏一兩曲了吧，因為沒有吃苦動手，便像一些巨著一樣，長久不得面世，永遠是段腹稿。

從構思走入實踐，不知還須多少個日子。

樂器

色士風是浪漫的不羈的，外型設計精美別致，為什麼很少孩子學它，是否家長嫌爵士味太重。

鼓還要瘋狂，佔地方也多，卻非常受歡迎，反叛的少年人都希望成為鼓手，藉此發洩。

小提琴實在怨得厲害，調子竟可以拔得這麼尖，小小盒子，可發出如此音量，叫外行人吃驚。

鋼琴最普遍，假如真的要學好它，跟練其他功夫一樣，每天起碼做

幾個鐘點。

友人自幼愛六弦琴，曾遭長輩反對，只得鎖在房中，再躲在衣櫃裏練。音樂，用來陶冶性情是可以的，但，靠它維持生活，一般認為機會較為渺茫，許多有天才的樂手只得去讀建築或法律，此愛不移，下了班變本加厲的玩，三八制度：八小時睡眠，八小時工作，八小時奉獻給樂器。

那股勁道，使沒有音樂細胞的人嘆為觀止，可見樂在其中，其味無窮。一天的工作完畢，回到家中，站在露台上用梵啞鈴奏一曲吉卜賽舞曲，多麼高雅的嗜好。

十五歲之前的表現叫天才，十五歲之後是勤力，這種奢侈要從小培養，年紀大了，很難取得起樂器。

吃相難看

家人嗜梵啞鈴，小小螢幕上演奏不輟，耳濡目染，漸漸也識得一點好歹，深覺除出大師海費茲，其餘人等，姿勢之難着，先倒扣七十分。

觀眾哪管誰七歲開始苦練，天天流血流汗，觀眾只看見東洋與高麗女提琴手演奏起來身子如遇十級颱風，左搖右擺，如與提琴角力，出盡吃奶氣力，猶自不能好好控制，一隻琴如隨時要脫空飛去。

觀眾又見矮胖子出場，外型好比燒烤店掌櫃，握琴姿勢一如提着明爐燒鵝，完了取出毛巾一方，墊在提琴與下巴間彷彿隨時要開始大快朵頤。

觀眾更見有些琴師表演起來，靈魂過份投入，竟然嘴角冒出涎沫，雙眼反白，如發羊吊。

慘不忍睹，看過看傷，什麼天籟都不管用，表演藝術講的是聲色藝，缺一不可，姿勢不重要？假的！

唯獨約舒亞海費茲，真正高貴漂亮，演奏時站得筆挺，沒有一個多餘的表情，亦無毋須有的手勢，輕輕的，盡他所能，表演才華。

真不明白為何他人彈琴一如拉縴、耕田、鬥牛、摔角、抽筋。

好車

美汽車雜誌選有史以來十大跑車。

第十名：林寶基尼君達，毋須解釋。九：日產天線，因為可改裝成為最佳飄移飛車。八：雪佛萊戈域魔鬼魚，美國敝帚自珍。七：愛斯頓馬田DB5，占士邦先生的座駕，外形優雅如格子呢外套。

六：平治鷗翼SL，也是我最喜歡的跑車。五：弗拉利安素，時速達三四九公里。四：積加E型，金庸曾擁有一部，他說，自小路出大路，想看清路面，車身已有三分二在外，危險。

三：BMW麥克倫F1，麥克倫也同時為平治廠設計跑車。二：可靠易控制的萬事達米亞泰。

第一名：永遠的保時捷九一一。

那是年輕男子不二選擇，過了四十歲，就只好用平治了。

BMW、平治與保時捷均生產性能超卓的腳踏車，為求環保，他們也製造電車。

另外，最喜歡的越野車是蘭芝路華，那是二次大戰英軍蒙哥馬利元帥在北非用來打沙漠之狐隆美爾的軍車。

哈利

哈利戴維臣是一種機器腳踏車，一九〇三年第一次出廠，隨即風靡全球。

哈利擁有一對翅膀標誌，是很漂亮的裝飾品，小女三輪車頭就鑲着一個，神氣活現（「去，去把你的哈利駛出來」）。

小說作者少年時喜歡這樣形容男主角：成績優異的原子物理系學生，黃昏愛穿着皮夾克駕駛哈利戴維臣出遊……並沒有為他着想：課餘還剩那樣的精力嗎。

漸漸就不提了，漸漸男主角都改坐日本小房車。

一日，路經某商場，忽見停着十輛八輛打理得精光燦爛的哈利，呵有志同道合者在此聚會，走近參觀，十分神往，不不，不是坐後座，而是親手駕駛，轟轟，開出去，奔向自由。

剎那的興奮過後，又乖乖回到超級市場，打點下一頓家人該吃些什麼。

理想與現實是有點分別的，生活沉悶到實在可怕的時候，會找老友訴苦：「我們幾時私奔呢」，最好在月黑風高的晚上，乘哈利戴維臣風馳電掣般駛走。

可是我沒有駕駛執照。

魅影

最心愛的車了，往下數，不如搭地車，經濟方便快速。

它是一九三八年設計十二氣缸七千三百西西引擎的勞斯萊斯魅影。現拿到本市來拍賣。

局外人一直拍手說垮了垮了，然而直至今天，一旦有什麼至貴至珍的東西，還不是萬水千山，勞師遠征地弄到這裏來找買主。

勞斯萊斯將車子命名，另有一功，照說，轎車叫魅影，真正大吉利是，他們卻不理，一連串虛無飄渺的車名如銀雲、銀影，層出不窮。

魅影車身特高，乘客簡直可以走進車廂坐下，不必低頭彎腰屈膝掙扎，戴着禮帽，一般舒舒服服，前後都有餘地。

稍後的出品因較務實實際，即時稍欠風騷。

一直以來，都逼書中女角去完成未酬之壯志，這次自不例外：你，你，你，統統在廿三歲之前設法坐到魅影裏去，成為都會中傳奇。

這一款車子，本身也已成為資本主義的傳奇，成為崇尚物質社會最渴求的道具之一，腐敗得不可救藥。

美少女

一直為美少女着迷。

碧清的大眼睛，白皙光潤皮膚，小小的手，緊緊身段，一笑，嘩，混身如要發出晶光來。

像件藝術品，賞心悅目，心情頓時開揚，旁觀者無端端高興起來。是世界還有希望，雖然大半時候叫你吃不消，但偶然上帝也會大發慈悲，差遣可愛安琪兒來安慰我們弱小受驚的心靈。

好看的少女無異是天使。

一舉一動一顰一笑，都似風景，難怪可以要風得風，要雨得雨，即使阿修羅般行徑，依然有異性前仆後繼。

真不能怪有些人的伴侶越來越年輕，真正青春的時候，連膚淺無聊幼稚刁潑都是好玩的。

並非永恆，三五七載後，同樣的姿勢，便會叫人不耐煩，再過幾年，如果還不識趣改過來，怕要不忍卒睹，被喝倒彩。

那樣的皎潔，短暫飛逝，剎那間便要變魚眼睛，當它存在的時候，當然要貪婪的欣賞。

愛美的人，不住尋找新面孔，新的喜悅，新的感受，新的刺激。

俊男！

心境一向比年齡更為蒼老的我有時也十分忘形。

那是在看到俊男的時候。

這是洋妞中肯的意見：中國人醜的真醜，可是漂亮起來，又叫人目瞪口呆，當中差距甚大。

有時車子在紅燈前停住，旁邊跑車上就坐着這樣的英俊小生，看得人心曠神怡。

有時與朋友聚餐，忽然進來高大健康劍眉星目的少年一名，一班嬸嬙立刻目不轉睛地讚嘆起來。

眼睛才不要去看醜陋的人與事。

家中兩名姪哥面貌端正，有目共睹，可是一有人說他們長得好，立刻申辯：「他們不靠面孔吃飯」，性格之迂腐，可見一斑。長得好的確得天獨厚，自幼稚園開始，老師就偏愛面孔似娃娃的學生，英俊的青年如果還肯為事業努力，更加如虎添翼。

而某君雖然才華蓋世，性格可愛，且具生活情趣，但，醜也就是醜。

你年輕的時候，有沒有那樣英俊的異性朋友？回憶必然美好。

別一口咬定漂亮等於輕佻。

空盒

吃完喉糖，剩出一隻小小空鐵皮盒子，在過去，這樣的剩餘物資已算難能可貴，有一百零一種用途，最普通做法，便是給小孩裝零星小物件，如貝殼、銅板、蝴蝶結、項鏈等。

今日，只得扔到垃圾桶去。

因為針線盒、工具箱、零錢包一應俱全，都經專人特別設計，配合需要，事倍功半，物質太過豐富，時代不同，不興廢物利用。

兒童們的用具，現在都一整套印上卡通片主角肖像，顏色差些，樣子普通的都不要，稍有適合心意，便堆山積海買回來，一下子又嚷不夠，再去補倉。

哪裏還會想到留着餅乾或是巧克力盒子來裝東西。

記得很清楚，孩提時曾經擁有過一隻太妃糖盒，盒蓋印着穿古時宮庭服的鬈髮小男孩，正在吹肥皂泡，後來才曉得，那是梵艾克的一幅畫。

一直到現在，還保留着原始的習慣，把賬單存放在糖盒中。

不過要找以前那麼考究漂亮的鐵盒子，也不容易，廠家知道沒人保存，乾脆配合時代的節拍，全部用紙，即用即棄。

舊物

生活到一定時間，身邊會出現一些老、舊，不是不能替代，但深為主人珍惜的東西。

縱有更新更好，並且負擔得起的，也不思更換。

年輕人不會明白吧，殘酷無情的少年人，一聽到略舊、略陳、略過時的東西，立時鄙夷地噫噫噫，棄之不顧。

成年人溫情洋溢，自己都舊舊的了，對於舊物特別眷戀。

舊的毛巾被，邊沿都洗得毛掉，特別舒服。舊的行李箱，帶我們去過歐洲，陪我們做過寄宿生，不捨得扔掉。

舊的牛仔布夾克，上邊釘滿十多年來收集的各種徽章，包括兒童樂園廿五週年梅花形紀念章，紅十字會那滴血，紐約自然歷史博物館恐龍標誌，以及曼聯足球會標籤。

滿滿一隻鞋盒子裏載着博物館入場券、戲票、賀卡、學費單、書單、糧單、升職通知書、過時合同、文憑、小學時用過的中英袖珍字典……不值一文，不值一哂，可是年復一年，讓它在公寓中佔一席位。

有一首老歌，叫藍色猄皮鞋，點點滴滴舊物，也就是我們神聖不可侵犯，維護到老的猄皮鞋。

舊貨攤

朋友自三年前移居法蘭西，就斷斷續續寄來古董明信片做禮物，全是真的，所以有發信人，也有收信人，有地址，有日期，當然有郵票。

上面的信息像「忠誠地祝你有一個好的一九〇九年」或「為紀念為友誼」，都用鋼筆書寫，照片中多數是月份牌美女，大眼睛小嘴巴，側頭微笑，眼神凝視上方，戴安娜王妃現時還時常擺出這種標準姿勢。

有些着色，大部份黑白，題材也很廣泛，有女孩站在園景前推着腳踏車，也有手執梵啞鈴作演奏狀的孩子。

納罕什麼樣的東西都有人拿出來賣，也自然有人買，歐洲各國的跳蚤市場，自舊衣裳首飾傢具樂器到工具文件書信皆有，真假混雜，標價有時頗叫人嚇一跳。

當年最感興趣的是各式玻璃用品，特別是香水瓶子，聞一聞；猶有餘香，而舊主人芳魂何在，就不得而知了，完全有種物是人非事事休的感覺。

閒時逛摩囉街絕對是樂趣，只要喜歡就可以，何必計較真假，一樣樣掏出來欣賞，實在不好意思了，略買一件半件。

勸人把書信照片收藏，過三五十年，全是可愛的時髦古董。

顏色

童年時最喜歡紅黃藍原色素，也難怪小丑那麼受孩子們歡迎，面譜連服裝都彩色鮮艷嘛。

愛紅這個毛病，不單止賈寶玉犯上了，心底高興出來，君不見從來沒有人諷喻另一人三分顏色上深紫，或是三分顏色上墨綠，可見紅色可愛。

青春期當然是淡藍或粉紅，這個扮嬌嗲的權利不可放棄，一直穿到廿多歲，口味忽然轉變，學習低調，愛上米色系列。

這一系列色調其實並不適合黃種人，益發顯得面如土色，但為扮涼快，在所不計，打開衣櫃，曾經一度，統統是深淺不一的咖啡鐵銹。

後期就知道藍與白的好處了，校服用這兩個顏色實有充份理由。一接觸就有精神奕突感覺，爽朗愉快，絲毫不做作，一是一，二是二，世界忽然明澄：有什麼是不能解決的呢，儘管放馬過來好了。

不過仍然忘不了紅色，總忍不住偷偷買雙紅鞋兒，或是一雙紅手套，紀念失落童真。

最近，更含糊地穿起珠灰以及灰紫色。原來每一階段選擇的色澤同當時之人生觀直接掛鉤。

白色

如有懷疑，即選白色。

一半因為懶的緣故，一半因為沒有配色天份，故此天地萬物，可以買得到白色就買白色，買不到白色，對，買黑色。

再沒有，就選灰色，日子久了，屋裏身上，統統只餘黑白灰，沒有其他色素，根本不想討好突出，只圖舒服清淨。

冰箱窗簾床單沙發全是白色，車子衣服皮鞋全是灰色，不知多好。

友人連廚具都要找白色搪瓷：「亮晶晶鋼煲真難看」，更加挑剔。

白這個顏色會漸漸叫人投降，白襯衫白褲白裙何等飄逸，一大疊白毛巾能化沐浴為神奇，可是它不能藏污納垢，它會變黃，一點漬子都看得見，每次用後都需勤加處理。

一累，就想把白色剔除，從此用藏青，可是，小孩穿白色海軍裝多好看，白色座墊似特別柔軟，白色的帆布鞋有一種誠意。

最喜歡的顏色是什麼？是大紅與灰紫，但在現實生活中，無論如何用不着。

夏歌兒

夏歌兒的全畫是仲夏夜之夢。

彩筆描繪出情侶、婚禮、舞蹈、花朵、天使、小提琴師、月亮、雞、驢子、風景。

美麗的新娘子，穿着雪白紗衣，飄浮在深藍色天空中，情深款款凝視站在草地上的新郎，有時候，她的頭部超現實地飛出去老遠，觀者卻不覺可怕，完全接受這種突兀……

湛藍、橘紅、蕉黃、翠綠，是他最常用的顏色，與馬蒂斯，高更一樣，為色彩傾倒，但是作風截然不同，夏歌兒更加天真。

觀眾一下子着迷，心靈隨着畫中小提琴手任意飛翔上山，忽爾又站在屋頂上，如夢如幻。

據說這是畫家童年時的回憶，他歌頌浪漫，活在愛的神話中，是以畫中女孩手中拿着的花束，往往是紫色的毋忘我。

孩子們很小很小早至三五歲就可以欣賞夏歌兒，如果他們對立體主義、超現實主義及表現主義發生懷疑，只消告訴他們：不要問為什麼，畫是用來心領的，喜歡就是喜歡，不喜歡就是不喜歡，毋須問為什麼。

十萬個為什麼應用在科學上，那已是完全另外一碼子的功課。

動畫化

日十八世紀大師北舟畫風純樸可愛，繪畫鄉村生活、山水風景，傳神寫真，成為國寶。

年輕一代不放過他，把他的畫用電腦編成動畫，給學生欣賞，看，畫中吸水煙老翁忽然活過來了，神情滑稽，栩栩如生，又山谷中煙霧移動，自畫的一角吹到另一角……

其實，齊白石的畫也可以這樣處理，再適合沒有了，小蝌蚪忽然游動，活蝦活魚追着牠們，小雞在岸上虎視眈眈，紫藤在一角綻放。

還有，八大山人的鷹孤寂地在空中盤旋，緩緩停到孤峰上。

陳樹仁的雪猴在大雪紛飛中飛躍……都是好題材，可是牽涉到巨大的人財物力，還有版權問題。

華人恆久的想法是，藝術是小撮人圍內之事，公開了的不是藝術，萬萬不可開放給大眾欣賞，況且，群眾自有群眾娛樂。

西人卻巴不得幼兒都來喜歡藝術，有一套電腦遊戲，專在蒙娜麗莎臉上加鬍鬚之類，然後考智力設法還原，不敬？沒有人想過這個問題。

首飾

有一個牌子的首飾，希臘製造，叫拉拉翁納斯，非常漂亮。

材料多數用廿二K黃金，配水晶與青金石鑲製，設計三千年不變，用迴紋、貝殼、羊角……與古希臘仕女畫像中的首飾相似，十分清麗別致。

特喜它流蘇型的耳環，紐約大都會美術館紀念品部門有同類的仿古品出售，手工當然不及真首飾細緻，除此之外，似乎沒有別處買希臘首飾了。

它的項圈手鐲胸針都極之美麗，可惜售價不便宜，一向不大捨得花費的我只擁有幾副耳環。

因未受日本與台灣客抬捧，香港女士好似還對這個牌子冷淡，笑語友人，最好趁這個時候每款置一兩件，以免價格突漲。

它的好處是，大部份款式白天也可以戴，且可配便服。

它與蒲昔拉蒂各有千秋，都可以當藝術品看待，不過不適宜戴得一身都是，一件起兩件止，戴了耳環最好不要再配胸針，戴上手鐲則宜放棄戒指，其實，這不正是配戴首飾頭面的要訣嘛，何必給人一種「不怕天火燒，只怕跌一跤」的感覺。

胸針

擁有幾枚十塊錢胸針，非常喜愛。

一隻是基夫哈令的「發光嬰兒」，一個抽象的，胖胖的嬰兒四肢伏在地上，四周發出光杧來，這個嬰兒造型代表哈令畢生力作。

曾對小女說：「你是我的發光嬰兒」，時時別在襯衫領子上。

另一隻，是達利的班戟袋錶，軟嗒嗒，破碎，歪一邊，時間大神永遠這般無賴不良，欺騙我們，這隻錶總算為人類出了一口無奈之氣。

還有，就是夏戈爾的「飛翔女人」，他每幅畫裏都有一個懶洋洋的女子，浮在半空，輕鬆悠閒地觀看眾生相。

渴望做這位女士，她永遠不是畫中主角，在夏氏畫中，那往往是披白紗的新娘子，可是，做臨記才舒服呀。

都在美術館禮品店內購得，用鋁質製造，鍍上琺瑯，所費無幾。

可是，快樂同金錢其實不大掛鈎，世界上最美麗的東西，雖然不至完全免費，其實也不算太貴，享受是一種心態。

活色生香

有一種首飾，法國人叫tremblent，即顫動，像一枚胸針，鑲成蝴蝶模樣，可是用小小彈簧機關勾住，主人移動之際，胸針也會顫動，煞是好看。

中國人也喜歡這類首飾，舞台上，生角旦角的衣飾，全部活動，頭上的絨球，身上的流蘇，統統隨身形款擺，連武松頭上氈帽頂也有一枚立體箭簇，非常神氣。

有時刀馬旦身形已經停住，可是頭上各種飾物猶自顫動不已，像是對觀眾叫的「好！」回禮，這種藝術，叫人傾倒。

年前見電視台訪問珍摩露，名女星年紀不小了，該日她戴一副顫動耳環，不住擺動，配着她世故笑容，無瑕可擊。

《紅樓夢》中形容尤三姐，使性子罵人之餘，一雙耳墜子似打鞦韆一般晃動，活色生香。

長髮好看，也因為流動，搖滾樂隊歌手，武打明星，泰半留長髮，因為動感好看。

呵，鐵芬尼重做一枚蜻蜓胸針，手掌大，翅膀會得顫動，栩栩如生。

透明

對一個聰明人的至高頌讚是「水晶人兒，玻璃心肝」，這兩樣東西，都是透明的。

當然，弄得不好，被人用另外一種方式當作透明，滋味就完全不同。

透明的事物真正可愛，清晰，晶亮，別致，多年來各種用品的製造商都不忘出產透明的貨品，從電話到手錶，從鋼琴到鋼筆……

透明的玻璃雨衣、透明的文件夾子、透明的手抽袋，都一直受歡迎。最便宜的料子是塑膠，最貴的是天然岩晶，中間路線是水晶玻璃。

卡地亞設計的岩晶神秘鐘價值連城，但塑膠身塑膠帶的透明錶一樣好玩，送給小女孩，同她說「看，發條在轉動」，已經值回票價。

人類喜歡透光的東西，因為清楚，看得通，狀似單純簡單，卻可以襯任何顏色，百看不厭。

有些時裝用透明鈕扣，就是這個意思，永不俗氣，永合潮流，應隱形時隱形，應突出時突出，噫，這樣看來，做透明人還真一流。

書房最好用玻璃磚做一幢玻璃牆，表示坐着寫作的人伶俐敏捷。

椅子

據説老匡買了張價值五個位數字的椅子，用來寫稿。

這是找生活的道具，值得投資。

老覺得所有的椅子都太高，彎着腰寫上三數小時，脊骨非常吃力，曾鋸短椅腳，效果相當好。太大的椅子無用，再舒服的靠背也無用，寫稿人的背脊極少貼住椅背，多數懸空，正像騎師之臀部，絕少碰到馬鞍一樣。

至今未曾坐過一張舒服的工作椅，也許因為一坐上去就要死寫，故

此該椅就同刑櫈差不多，怎麼都舒服不起來。

坐得怕了，其餘時間，多數平躺，看書報雜誌電視、聊天，講電話吃點心……統統躺着。

不過為着對得起自己，也着實去找過漂亮的椅子，先把椅腳截短三公分，鋪上厚座墊，有種物理治療背墊，弧度同背脊吻合，亦可採用，配L字型大寫字枱，筆記紙張可全部攤開來。

可是離遠一看，書房仍然像雜貨攤。

工作室是工作的地方，很難做到一塵不染，一絲不亂。

猄皮或織錦椅面一下子就髒了，木櫈太硬，旋轉櫈一直似隻怪獸，還有一種最新健康椅，設計成跪坐，更不像話。

米奇錶

早七八年前就開始收集米奇老鼠手錶，當時頗受友人們揶揄，而且，米奇錶也不是那麼容易見得到，真得到處找。也不肯付高價，最好三五七百元一隻，無傷大雅。

米奇有一張可愛的笑臉，小女自幼叫他史邁爾——微笑的意思，史邁爾史邁爾，為什麼不呢，一定要笑。

開頭買女裝尺寸，小小的，約儲了十來廿隻，真是個寶藏，不肯送人，也不外借，忙着換電芯，每次出去都戴一隻不同款式，自得其樂。

後來雙眼遠視，是，也就是俗稱老花，女裝錶上指針簡直看不清楚，遞遠些，矇起眼，也不得要領，於是索性改戴男裝錶。

男裝米奇錶比較少，試想想，大男人，西裝煌然，怎麼戴米奇錶去上班呢，不過居然也搜刮了好幾隻在手，可見有志者事竟成，那大概是大男孩戴的。

錶上米奇多數還是汽船威利時期造型，手腳細長，雙眼還沒有添上眼白，真可愛，他永遠戴着白手套，真費人猜疑。

呵家裏還有五六隻米奇鬧鐘，有一隻還會說：「早晨早晨，醒來醒來。」

為什麼到處放滿米奇？呵各人自有一條筋不太對板。

拖鞋

在家工作最大好處之一……穿拖鞋時間比較多，舒服。

從前北角有一爿小店，賣手綉緞面圓頭拖鞋，售價不便宜，且不經穿，可是真好看，少年時做作，動輒講文化，笑死人，為着若干原因，愛上這種拖鞋，後來改為機器綉，便自動放棄。

有種底面均用草織拖鞋，亦係國貨，輕盈舒適，不知恁地，也只得一間雜貨舖代理，穿了幾年，該店生意再佳，也交不出貴租，關門大吉。

於是改穿西式拖鞋，髒了，扔進洗衣機，一雙可穿一年，十分乏味。

也試改穿球襪，略覺束縛，家居軟鞋，絨面那種也還不錯，上午六時至下午五時穿着，比較整齊，比拖鞋多些尊嚴。

曾經認識一位穿高跟拖鞋的女郎，對，粉紅色，鞋口鑲一圈羽毛那種，艷不可當，偏偏她坐着說話時，又愛擱起腿，微微搖晃。

可憐的聽眾什麼話都沒聽見，只擔心那隻粉紅色的拖鞋會隨時掉下來。

後來怎麼樣？當然已是另外一個故事。

精彩成份，自然與那雙拖鞋成正比。

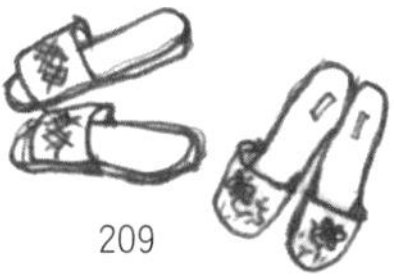

大手袋

近年來名牌手袋各施其法，越做越誇，諸多添加，寶石金鏈銅釘掛飾，纍纍墜墜，像銅匠擔子，又好似已經打劫了銀行滿載而歸，空袋也重似十磅八磅。

友人最客氣，每年冬季送一個名牌，友誼萬歲，歷年來家裏已收着十隻八隻LV，全部簇新，從來不用，太華麗嚻張，並且份量不輕，怕負重，情願用輕便的Lesportsac。

這種用降落傘布料縫製的袋子輕便實用，有一款設長長肩帶，正好斜揹，雙手可以騰出拎別的東西。

去年Tokidoki為這個牌子設計一連串動畫圖案，活潑可喜，最有趣是其中一隻有小小死神持鐮刀站銀座繁忙街頭一副茫然不知所措，叫人會心微笑，又有一粉紅頭髮少女，滿臂紋身，包括失戀兩字……

最近女友乘飛機也開始用它，讚不絕口，這些日子，它也是名牌了。

時尚雜誌刊登過價值六萬美元的鱷魚皮愛馬仕手袋，真正漂亮，手工細緻，不過，是否提高用者身份，則見仁見智。

國語

國語真好聽，無論男女老幼說來，都那麼悅耳，它可登大雅之堂，發音優美鏗鏘，就算是個容貌猥瑣的人，只要開口講標準國語，也可將其人升格，絕非偏見。

許多中國人會講發音不大準的國語：新加坡人、台灣人、上海人，都咬音不準，最可怕當然是廣東人打官話，不過，其志可嘉。

任公職時，上頭打電話到公關部找會講國語的人，立刻自告奮勇，誰知他說：「很多人都說他們會說國語……」馬上答：「我是真的會的。」不知什麼地方來的勇氣，其實只能講少許生活對白，而且根本不懂在什麼時候捲舌頭，一味死充。

無論什麼方言或語言說得好都不是容易的事，聽了使人舒服，更是藝術。

電台節目中有國語訪問，一聽之下，發現國語原來可以運用得那麼活潑、俏皮、幽默、可愛，心嚮往之。

可是一到聯合國，中國代表用國語發言，又那麼莊重得體，真正了不起。

有沒有聽過國語時代曲《假惺惺》？風騷入骨，姣媚到極點。

邪邪氣

同文在他報上寫滬語，他說：「上海話中之邪氣，即非常，邪邪氣，即極之非常。」

我會一點上海話，覺得有趣之極。

邪氣，不錯，即非常，例：邪氣好吃，天氣邪氣熱，衣裳邪氣好看，可是最近上海不流行講邪氣這兩個字了。

如果你也有我那麼幸運，同利智用上海話交談過，你會一，之後十天八天內都渾淘淘，受她一口軟糯的滬語醉倒，二，會發覺她愛用老字代替邪氣：老時髦、老麻煩、老闊綽……

邪邪氣卻不一定是極之非常，邪邪氣是指許多許多，伊格鈔票邪邪氣——他的錢多得很，麥克麥克。

那麼，極之非常怎麼說呢？是邪氣邪氣，如黑洋酥芝麻湯糰邪氣邪氣好吃，法國時裝邪氣邪氣名貴。

說到這裏，廣東讀者大概要扔石頭了。

邪氣，照字面，應該是形容一個人的氣質不甚正派，有些流裏流氣，到了上海人嘴裏，竟會變了另一種說法，又不是七歲離開上海到香港居住的我可以明白了。

死開點

同文說他會一兩句上海話，其中一句曰「死開點」，譯為白話，即滾開。

不要看輕這三個字，有意無意，真要看由誰來講，譬如說有這麼一個女子，三圍分明，皮膚雪白，不需要很美，但絕對要媚，雙手抱在胸前，雙眼瞄一瞄閣下，似笑非笑，對閣下說：「死開點」，嘩，恁憑誰，都只怕要即時酥倒，化為繞指柔。

上海方言是很有一套的，由美婦人說來，尤其銳不可當，甚至是罵人，訴苦，都值得一聽。

他們稱你為「儂」，他為「伊」，你如何如何變成儂哪能哪能，他如此這般成為伊格能格能，用詞發音，都較粵語軟且糯。

口頭禪如「要死快啦」、「苦還苦煞脱」、「真斷命」……其實都不是好兆頭，不過聽上去絲毫不覺逆耳。

教幼童説幾句上海話解悶也非常有趣，像「姆媽抱抱囡囡」、「寶寶勿要吵，姆媽來啦」，好似要比粵語硬繃繃地「咪嘈」柔和一些。

所有方言都傳神，「伊奈末窩心來」，簡直死而無憾，很難用其他字句代替。

十分慶幸略懂滬語。

滬語

上海人暱稱伯母為「姆媽」，即媽媽，陳伯母是陳家姆媽，王伯母是王家姆媽，意思是同自家媽媽一般親厚，無分彼此，真會說話。

可是陳伯伯卻不是陳爸爸，對不起，爸爸只有一個，必須親生，陳伯仍稱「陳家伯伯」。

娘姨是成年女傭，小大姐是年輕女傭。

大小姐才是家中千金。

本來是會一些滬語，同廣東人一起生活，生疏不少，最近這十年更加沒有講的機會，丟在一旁日久，可惜。

小女只會說「鬬醒脫了」，這個脫字代表完成式，像愛得死脫，即已經死了。

怎樣學會如此刁鑽方言，真的不可思議，兒童的生存功力十分偉大，後來南下到香江，又必須學會粵語，更加艱辛，「咩呀」是什麼，「係」是對，可是，也講得十分流利。

同時，還得學英文呢，所以，當今日家長緊張子女功課時，往往勸說：「他們可以勝任，放心，不怕累」，我們是怎樣活下來。

在上海人口中，心焦是寂寥，窩心是舒服，迷人的滬語。

寧波話

寧波話的發音往往使外國或別省人大吃一驚。不但重，齒音也多，難怪有人說，情願與蘇州人吵架，不與寧波人講話。

許多寧波人已不會說寧波話，中年寧波人多數講上海寧波話，青年寧波人只會說單字。

平日一直說粵語，國語也常用，已極少用寧波話。

直至最近。

正如人在最後關頭會想起媽媽，極忙極累極急之時，喊出來的，都是家鄉土話。

講了母語之後，再客觀地分析發音，只覺匪夷所思，天下竟會有這樣的方言，完全沒有邏輯，也沒有拼音，字面也不知如何寫法，很多時連同音字也沒有，是兒時硬緊緊靠記憶學回來的語言。

方言就是有這個缺點，懂的人聽起來親切無比，立刻成為自己人。外頭人一聽，好比外星人語，莫名其妙。

故衷心熱愛普通話與白話文，人人會聽，人人會讀，那才是好語言，好文字。

誰不喜歡自己家鄉話，我可不敢拿寧波話來寫小說，還想爭取多些香港及台灣讀者呢。

照片

越來越喜歡拍照，小小一架照相機，還是某年的生日禮物，用了好些年，從來不曾失望過，用熟了，有信心，每卷底片均印兩份，多出來那套便陸陸續續放進信裏寄出去。

還寫信？是，一直寫，且寫得十分多，怎麼會有空？呀，先生女士，列位看官，你要是認為這件事重要，你一定抽得出時間把它做妥，一個人之所以失約／遲到／忙得不可開交，乃因為他輕視那件事。

親友看到照片，或是我看到親友的照片，都同樣開心，一張照片，代替許多文字。

風光明媚？咔嚓咔嚓，攝錄下來；幼兒頑皮？有相片為證；搬了新家？把外貌內籠統統拍下，懶得挖空心思形容。

並不求名牌照相機，或是各式長短距離鏡頭，不不不，我沉迷生活，不是攝影。

如今沒有大題目也天天拍照，可是曾經有一段日子，一張記錄照片也無。

這同心情有關，總要有餘暇才可以做這種瑣事，照片與底片均需儲藏，相當費時，噫，可見不知不覺，已平穩過渡矣。

照相架子

送禮煞費工夫，最實惠是大吃大喝，其次，就是送照相架子。

那是一定有用的，且天天擱着，天天看，絕不浪費，比送絲巾好得多了，上一次你好友用你精心挑選，價值萬金的絲巾是什麼時候？

相架豐儉由人，自鐵芬尼純銀製品到維多利亞時代古董都有，最廉美是壓克力透明膠相架，十元八塊有交易，且最好用。

木製照相架子純樸而有韻味，有種人長情可愛，才配用木相架。

離港前與親友合照，統統用相架珍藏，可是若干行李迄今未有時間拆箱整理，還需稍等。

現在看到漂亮的相架總預先買下，遇到適合人選適當場合立刻奉上，聊表心意。

把相片陳列出來，當然是因為可以時時看到，書桌前窗檐有一排小女照片，寫稿時偶爾抬頭瞄一瞄，可慰寂寥。

但有些人把照片放出來，意念便複雜得多，某君接受訪問，身後便放着與政要合攝玉照，以顯身份。

渴睡

一家三口，在任何時候，都有一個人正在憩睡，我當早更，老伴當夜更，作息時間完全不同，小女放學，也得小睡一會才做功課，家裏相當清寧，連談話聲音都無，電視並不調校聲響，只看字幕，以免吵到家人。

一直渴睡，而且隨時睡得着，一靠到床，舒適無比，甚至不介意一眠不起，生活算是積極，只不過嗜睡，像有些人抱着酒瓶不放，或是收藏了五百雙鞋子，只喜小睡片刻。

今人好似比古人更加疲倦，少年早晨七時正要到學校上課，下午三時回家，又得寫功課，到第二個學期已經大聲叫苦：「快要死了，功課殺死我」，同學電郵中這樣寫，「昨日我花半小時觀看足球賽，真精彩，可惜如此奢侈並不常有」，又「小睡三十分鐘，真正舒服，啊要趕快溫習了」，真叫大人惻然。

各種提神飲品當道，咖啡與茶已不算什麼，十二安士汽水或許可以幫忙，有一種叫紅牛的飲料名不虛傳，最實際是吃紅肉，一塊半生熟牛腰肉下肚，精神立振。

報上專題文字多數教讀者如何治療失眠，極少同情渴睡的人，我們也需安慰呀，晚上出去應酬，大餐吃到一半，已經張不開雙眼，多慘。

取捨

頗喜歡家庭生活，一個人沒有家大抵是不行的，一家子相對數十年，總比外頭人多些真心，酸甜苦辣一齊捱過，比較知道首尾，容易交代。

可是很多時候，覺得獨身有獨身的好。

時時想搬到市中心那種小單位去住，一房一廳，鋪淺紫色地毯，換盞小小水晶燈，開一點點窗，微風吹來，威尼斯紗簾輕輕拂動……實踐少女時的夢，最好床頭上放幾隻水彩色的貝殼。

做家務累到極點，便生此念，假使不行，象徵式離家一陣，也是好的。有種旅行拖車，車廂裝修成廳房模樣，住進去，也不錯。

停泊在家門口車道外，有什麼事一叫，即有照應，閒時家人可來探望。

一直有離家出走情意結，真正獨身，有伴侶，但不同居，有感情寄託，但不談將來，是非常享受的一件事，無牽無掛，自由自在，瀟灑得不像話。

但不適合普通人。

上了年紀，退休之後，事業結束，場面上朋友轉軚，生活難免淒清。

那並不是很遠的將來。

小巴士

真為九座位的小巴着迷。

試想想，一載載九個人，多麼幸福，一家三口去接飛機，對方一家四口，一起坐得舒舒服服，還剩兩個位子，綽綽有餘，多多行李放得下。

車位摺疊起，又隨時可搬運枱枱櫈櫈，花盆雜物，貨車一樣。

車身比較高，視野通透，一清二楚，長途旅行，後座兩排可以睡兩個人。

難怪有孩子的人家統當它是恩物。

從前小巴性能稍遜，此刻力求進步：四輪驅動、風油軚、五前速、冷暖氣、音響……應有盡有，簡直可以住在裏頭。

到了某一年紀，進入某種心態，人會覺得一輛小巴比賓跑或是波子更加可愛。

都會成長的人對戶外運動不是那麼投入，可是每次看到別人的九座位車頂上綁着獨木舟，車尾架上又有兩輛腳踏車，倒也羨慕。

他們時常穿州過省，越過國界，無遠弗屆，一開車十多小時視作等閒。

座駕非紮實不可。

瀑布

某年夏天，與友人共遊尼亞加拉大瀑布，站在圍欄後，真覺心曠神怡，友人說：「請勿誤會，但是我此刻想，隨瀑布沖下，豈非乾乾淨淨。」

是讓瀑布激流產生的臭氧分子使人覺得意外的平和吧，以致不在乎生死。

瀑布真是美麗，自小學旅行見過新娘潭瀑布後便戀戀不已。

中國有黃果樹大瀑布，非洲有維多利亞大瀑布，長年累月，每分每秒，幾十萬公噸水流傾瀉而下，永不乾涸，造成奇觀，倘若文思也若此，豈不妙哉。

尼亞加拉因位於美加邊境，交通方便，所以遊客眾多，觀光設備完善，馬蹄型缺口形成的水簾百看不厭，水流嘩嘩，遮蓋身畔一切不愉快噪音。

在激流灘上釣魚，據說樂趣亦有過之，專心致志一次一次將魚絲魚鈎飛出去，身邊除卻水聲，沒有其他雜念。

每次置身瀑布附近，都有獨處但愉快的感覺，像清晨趁家人熟睡獨自趕稿，又如一早步行經公園上學，並不覺得寂寞。

深信每個人其實都愛山水，誤墮塵網裏，身不由己。

酒店

喜歡住酒店已經到沉迷程度。

那就是桃花源、烏托邦、香格里拉，打算在生命最後數年，在酒店度過。

什麼都有，不必動腦筋，合意，呼之即來，不要，揮之則去，日常生活一切服務有專人安排，不勞費心，逐日收費，從此不必怕洗衣機壞、水喉漏水、傭人告假。

窗外風景欠佳，立刻轉房，有噪音可同經理抱怨，什麼樣的好菜即叫即吃，喝酒談天跳舞，而睡房就在樓上或樓下。

這樣好的地方何處去找，時常藉故去住酒店，三兩天都當享受。酒店又分好多種，豪華遊輪伊利莎白號亦是大酒店，每受生活折磨，便抱頭呻吟，想逃離一切，躲，躲到伊輪上去，永遠不再出來。

東方號快車也是豪華酒店，只需付款，車長大概不會趕乘客下車。

比一個人住酒店更舒服的便是請一大堆志同道合的人齊齊住酒店，據說F·史葛費茲哲羅便是這樣把一生稿費住得光光。

禮品店

有一爿店，專售世界各大博物館藏品的複製品。

真是可愛到絕點，一進去，雙目發亮、留連忘返。

大都會博物館、羅浮宮、大英博物館內名畫、雕塑，以及首飾都式式具備。

而且活學活用、把名畫套在日用品上，像荷花池印到雨傘上，阿維濃少女在瓷杯上找到，T恤與枕頭套上有星夜。

銀戒子照十五世紀英國式樣、上面刻着「毋忘我」，「思念我」字樣，浪漫得死脫。

無論是花盆，鏡架，均有來歷，不容小覷，藝術之成為藝術，仍因百看不厭，耐久不變，此間卻有人誤會無人要看才算藝術，殆矣。

最叫女士歡喜的自然是仿古首飾，埃及娜浮蒂蒂的項圈閣下也可擁有一件，維多利亞女皇的胸針、印度大君的手鐲，都售價公道，令人笑逐顏開。

最喜歡瑪雅民族的古樸圖案設計，化做裝修品，不落俗套。

逛半日、買不買不要緊，感覺上像回到學生時代，半價逛遍所有博物館，大開眼界，精神爽利。

鐵路

你喜歡鐵路嗎，我很喜歡乘火車，清晰記得，七歲那年，與母親及靖弟，合共三人乘列車自滬抵港，經過鄉村及城市，終於停站尖沙嘴，由穿西服的父親來接。

少年時，去沙田旅行，也乘火車，記得要經過兩處隧道，忽然黑暗，電燈亮起，總有點緊張。

在英國，從曼城到倫敦，過多佛海峽到法國加利往巴黎，也乘火車，車廂搖晃，節奏隆隆，乘客特別渴睡，一時分不清是他鄉抑或故鄉。

加拿大太平洋鐵路由華工血汗建築，地勢險峻，貫通洛磯山脈，據説，每一公里都埋葬着華工骸骨，乘這條鐵路經過大草原，特別感慨。

偉大的青藏鐵路已經通車，從北京乘特快列車到拉薩只要四十小時，列車經過高寒凍土地帶，車廂設供氧系統，這條鐵路打通了中國東西部，是全世界唯一在海拔四千米以上的鐵路。

車廂狹窄，可是比飛機艙舒適，食物也較多選擇，晚餐時常有樂隊演奏，不必豪華如東方號列車，一般火車服務，已使人高興。

停站了，可下車遊覽風景，比起乘郵輪更加暢意，多走路使人心胸廣闊。

溜冰比賽

花式溜冰真好看，在場表演的三兩分鐘，往往是十多年功力所聚，十多歲的參賽者尚未考到駕駛執照，黎明時分，便由苦心的家長開幾個鐘頭車長途跋涉到溜冰場練習，因為只有那個時間沒有閒雜人等。

冠軍也一樣會失手，摔跤、出醜，栽倒在地，眾目睽睽，還得爬起來，若無其事，繼續玩下去，直至音樂完畢，這叫體育精神。

其實任何行業均如此難做，戰戰兢兢，如履薄冰，跌倒了，照樣得咬咬牙再來，放棄？離場？則永無出頭機會。

自花生漫畫中，還得知溜冰比賽的一項規例：忘了帶音樂？不能出賽。

那次，露茜帶備的錄音音樂出了毛病，卡住播不出來，汗流浹背，誰救了她？老好史諾比，用口哨吹出整段音樂，助她過關。

又使人聯想到一個較為乏味的問題：你有那樣的朋友嗎？

抑或，環境略差，他們已經爭認陌路？

所以，閒時要好好練功，做得十全十美，一登場，掌聲雷動，替親友增光。

任何比賽場地，都是人生縮影。

馬

狡狐、水龍頭、磁音、真功夫、海琥珀、金多多、北地舞人、掌聲，都是馬的名字。

看得出馬主很花了一點心思，希望牠贏出來之餘，多多少少也帶些愛心。

友人一直說豐之珠與滙之寶譯得最好。

印象中許多年前有一匹馬叫自家飛，原名是疤臉，有點像武俠小說中邪派高手，很具吸引力。

一日不在意看到電視重播晨操，字幕打出馬名，忽然眼前一亮，注意到「綺惑」兩字，完全有震盪感，決定冒昧借用。

馬的身份也分很多種，馬戲班裏的馬，自然純娛樂。馬場的馬記得要替老闆運財。花式技術賽中的馬，講究得獎，替主人捧銀杯。

家有莊園的人家，節日以馬作禮物送給孩子，像狗與貓一樣，一半玩具一半伴侶，算是最享福的了。

操作馬腿粗身壯，專幹粗活，終身勞碌。

資本主義社會中，人畜皆分階級，然無論何種身份均需付出代價。

名馬芳華逝去，下場泰半悲哀。

中央公園裏拉車的馬，當年並非泛泛之輩。

中環

最愛中環。

開頭並不如此，為了生計，不得不在該區找一份牛工，懊惱之餘，自稱淪落中環，並叫姪兒代刻閒章一顆，以誌紀念。

無可奈何入了中環籍，日久竟然生情，喜其四通八達，應有盡有，街道乾淨，建築物宏偉，名店林立；還有，中環的人，特別神氣時髦精靈。

太喜歡它的節奏步伐調子了，離職後依依不捨，有事沒事都藉故回到中環去：洗頭、換季、吃茶，決不選別處，街上隨時遇到舊同事或老朋友，一樂也。

大抵是全香港最文明的一區，因此不介意上下班之擠逼以及找地方用午餐之困難。

一直認為，最佳享受之一，是往文華或置地的咖啡廳一坐，賓至如歸，欣賞忽忽走過的白領麗人，眼睛吃冰淇淋。

曾在中環做辦公族竟變為一項戰績，始料未及，原來當年的恨事日後未必不會成為溫馨的回憶，人類思流慣於百變，可見一斑。

說起來還頂驕傲呢，是，我並不是女作家，曾經一度，領過薪水上過班，嘿，三考出身，一做七年半。

所以對中環有特殊感情。

遊戲

杜杜邀請讀者諸君來玩這個遊戲，他出題目，我們作答。

最喜歡的動物？豹。最喜歡的鳥：鷹。最喜歡的魚：逍遙自在的海蜇。

最喜歡的聲音：女兒笑談聲。最害怕的聲音：午夜驚醒忽然聽見大雨傾盆呵惆悵舊歡如夢。

最喜歡的花：紫藤。最喜歡的樹：楓樹。

最喜歡做的事：玩。最討厭做的事：工作。最容易做的事：抱怨。

最希望完成的事：跳好探戈。這輩子再也沒法學會的事：開車。最希望學會的事：賊喊捉賊。

最希望遇見的人：印第安那鍾斯博士。最怕遇見：少年的我。

最愛的作家：金庸。最佩服的作家：曹雪芹。最怕的作家：魯迅。

最欣賞的女性品質：豪爽。最欣賞的男性品質：豪爽。

令自己最輕鬆愉快的人：願意加稿費的老闆。令自己最生氣的人：不願加稿費的老闆。

最愛的導演：史畢堡。最信服的導演：維斯康蒂。最喜愛的明星：占士甸……

遊戲好玩極了，一個人的性格自簡單問答中纖毫畢露。

書名　就是喜歡　作者　亦舒

出版　天地圖書有限公司
香港皇后大道東109-115號
智群商業中心十五字樓
電話：2528 3671　傳真：2865 2609

香港灣仔莊士敦道三十號地庫／一樓（門市部）
電話：2865 0708　傳真：2861 1541

設計及插圖　Untitled Workshop

印刷　亨泰印刷有限公司
柴灣利眾街27號德景工業大廈十字樓
電話：2896 3687　傳真：2558 1902

發行　香港聯合書刊物流有限公司
香港新界大埔汀麗路36號
中華商務印刷大廈3字樓
電話：2150 2100　傳真：2407 3062

出版日期　二〇一八年七月／初版・香港